LA MATRONE DES SLEEPINGES

DU MÊME AUTEUR

Dans la même collection :

Laissez tomber la fille.
Les souris ont la peau tendre.
Mes hommages à la donzelle.
Du plomb dans les tripes.
Des dragées sans baptême.
Des clientes pour la morgue.
Descendez-le à la prochaine.
Passez-moi la Joconde.
Sérénade pour une souris défunte.
Rue des Macchabées.
Bas les pattes.
Deuil express.
J'ai bien l'honneur de vous buter.
C'est mort et ça ne sait pas.
Messieurs les hommes.
Du mouron à se faire.
Le fil à couper le beurre.
Fais gaffe à tes os.
A tue... et à toi.
Ça tourne au vinaigre.
Les doigts dans le nez.
Au suivant de ces messieurs.
Des gueules d'enterrement.
Les anges se font plumer.
La tombola des voyous.
J'ai peur des mouches.
Le secret de Polichinelle.
Du poulet au menu.
Tu vas trinquer, San-Antonio.
En long, en large et en travers.
La vérité en salade.
Prenez-en de la graine.
On t'enverra du monde.
San-Antonio met le paquet.
Entre la vie et la morgue.
Tout le plaisir est pour moi.
Du sirop pour les guêpes.
Du brut pour les brutes.
J'suis comme ça.
San-Antonio renvoie la balle.
Berceuse pour Bérurier.
Ne mangez pas la consigne.
La fin des haricots.
Y a bon, San-Antonio.
De « A » jusqu'à « Z ».
San-Antonio chez les Mac.
Fleur de nave vinaigrette.
Ménage tes méninges.
Le loup habillé en grand-mère.
San-Antonio chez les « gones ».
San-Antonio polka.
En peignant la girafe.
Le coup du père François.
Le gala des emplumés.
Votez Bérurier.
Bérurier au sérail.
La rate au court-bouillon.
Vas-y Béru !
Tango chinetoque.
Salut, mon pope !
Mange et tais-toi.
Faut être logique.
Y a de l'action !
Béru contre San-Antonio.
L'archipel des Malotrus.
Zéro pour la question.
Bravo, docteur Béru.
Viva Bertaga
Un éléphant, ça trompe.
Faut-il vous l'envelopper ?
En avant la moujik.

Ma langue au Chah.
Ça mange pas de pain.
N'en jetez plus !
Moi, vous me connaissez ?
Emballage cadeau.
Appelez-moi, chérie.
T'es beau, tu sais !
Ça ne s'invente pas.
J'ai essayé : on peut !
Un os dans la noce.
Les prédictions de Nostrabérus.
Mets ton doigt où j'ai mon doigt.
Si, signore.
Maman, les petits bateaux.
La vie privée de Walter Klozett.
Dis bonjour à la dame.
Certaines l'aiment chauve.
Concerto pour porte-jarretelles.
Sucette boulevard.
Remets ton slip, gondolier.
Chérie, passe-moi tes microbes !
Une banane dans l'oreille.
Hue, dada !
Vol au-dessus d'un lit de cocu.
Si ma tante en avait.
Fais-moi des choses.
Viens avec ton cierge.
Mon culte sur la commode.
Tire-m'en deux, c'est pour offrir.
A prendre ou à lécher.
Baise-ball à La Baule.
Meurs pas, on a du monde.
Tarte à la crème story.
On liquide et on s'en va.
Champagne pour tout le monde !
Réglez-lui son compte !
La pute enchantée.
Bouge ton pied que je voie la mer.
L'année de la moule.
Du bois dont on fait les pipes.
Va donc m'attendre chez Plumeau.
Morpions Circus.
Remouille-moi la compresse.
Si maman me voyait !
Des gonzesses comme s'il en pleuvait.
Les deux oreilles et la queue.
Pleins feux sur le tutu.
Laissez pousser les asperges.
Poison d'Avril, ou la vie sexuelle de Lili Pute.
Bacchanale chez la mère Tatzi.
Dégustez, gourmandes !
Plein les moustaches.
Après vous s'il en reste, Monsieur le Président.
Chauds, les lapins !
Alice au pays des merguez.
Fais pas dans le porno...
La fête des paires.
Le casse de l'oncle Tom.
Bons baisers où tu sais.
Le trouillomètre à zéro.
Circulez ! Y a rien à voir.
Galantine de volaille pour dames frivoles.
Les morues se dessalent.
Ça baigne dans le béton.
Baisse la pression, tu me les gonfles !
Renifle, c'est de la vraie.
Le cri du morpion.
Papa, achète-moi une pute.
Ma cavale au Canada.
Valsez pouffiasses.
Tarte aux poils sur commande.
Cocottes-minute.
Princesse Patte-en-l'Air.
Au bal des rombières.
Buffalo Bide.
Bosphore et fais reluire.
Les cochons sont lâchés.
Le hareng perd ses plumes.
Têtes et sacs de nœuds.
Le silence des homards.
Y en avait dans les pâtes.
Al capote.
Faites chauffer la colle.

Hors série :

L'Histoire de France.
Le standinge.
Béru et ces dames.
Les vacances de Bérurier.
Béru-Béru.
La sexualité.
Les Con.
Les mots en épingle de Françoise Dard.
Si « Queue-d'âne » m'était conté.
Les confessions de l'Ange noir.
Y a-t-il un Français dans la salle ?
Les clés du pouvoir sont dans la boîte à gants.
Les aventures galantes de Bérurier.
Faut-il tuer les petits garçons qui ont les mains sur les hanches ?
La vieille qui marchait dans la mer.
San-Antoniaiseries.
Le mari de Léon.
Les soupers du prince

Œuvres complètes :

Vingt-trois tomes parus.

SAN-ANTONIO

LA MATRONE DES SLEEPINGES

FLEUVE NOIR

ISBN 2-265-04899-2
ISSN : 0768-1658

A Alain Laville,
mon ami.

San-A.

Non ! Alain Peyrefitte n'aime pas les antilopes.

Les morts vieillissent mal.

Il est con et ne s'en cache pas.

San-Antonio

Quand un obèse pleure, on croit qu'il transpire.

Patrice Dard

JEUDI

Gare de l'Est, 21 h 24

Superbe !

De nos jours, avec un préservatif et une tête de nœud, t'arrives à reconstituer le buste de n'importe qui. Note que notre spécialiste a eu du boulot. Y en a fallu des essayages ! Mais le résultat est hallucinant.

Elle est assise dans un fauteuil du salon des V.I.P. de la gare, ses gros jambons croisés sous sa longue robe de soie mauve. Elle est coiffée d'une capeline violette, relevée par-devant ; de longs gants de même couleur, en peau souple comme celle dont le Créateur s'est servi pour envelopper mes couilles. Elle arbore un sautoir de perles à trois rangs, dont la plus petite te permettrait de jouer au billard, et elle est chaussée de bottillons à lacets, deux tons : crème et violet, qui indiquent la classe de cette personne.

— J'ai beau que j'la r'garde, j'arrive pas à croive qu' c'est ma Berthe ! me chuchote Béru.

— Parce que ce n'est plus elle, mais la baronne Van Trickhül, soupiré-je.

— Bricolée d'la sorte, ell' est moche comme un cul !

— J'ai rencontré des culs sublimes, Gros.

— C'pif qu'on est allé y sculpter ! Crochu, av'c une verrerue.

— Le nez de la baronne belge, amigo !

— Moive, j's'rais d'une baronne, j'me ferais refaire le tarin. Ma Berthy, é m'fout la gerbe, comme ça. T'sais que j's'rais t'incapab' d'la tirer avec ce masque su' la bouille? Je croiverais baiser la fée Carabosse.

— La question ne se pose pas puisque, précisément, notre mission consiste à l'ignorer.

— Tu penses qu'é court un danger, ma Grosse?

— Minime : nous allons la surveiller comme de l'huile dans une friteuse.

— Et où qu'elle est, la vraie véritab' baronne?

— Dans la maison de santé où Berthe est allée prendre sa place. La mère Van Trickhül est donc entrée dans cette clinique. Une nuit, Berthe, à qui l'on a fait sa tête, a occupé sa chambre tandis qu'on évacuait discrètement la baronne dans une autre : le tour était joué. Ceux qui sont attachés à la perte de la grosse Belge filent l'illustre Mme Bérurier depuis sa sortie de l'établissement de Knock-Hout-Mazoute. Que va-t-il se passer? Mystère et angoisse! Ouvrons pas seulement l'œil, Alexandre-Benoît, mais nos quatre z'yeux.

— Et comment sait-on-t-il que c'est pendant ce voiliage de l'Orient-Espress qu'on va essayer de faire un turbin à la baronne?

— J'ai été contacté, il y a dix jours, par le chef de la Sûreté de Bruxelles, Nicolas Buton-Debraghette, avec qui j'entretiens, depuis des années, d'excellents rapports, au point que j'ai baisé sa fille à la suite d'un dîner chez lui. Il m'a dit que « certains indicateurs dignes de foi » l'avaient formellement prévenu qu'une action se préparait à l'encontre de Mme Van Trickhül et que celle-ci serait tentée au cours d'un voyage que la dame s'apprêtait à entreprendre à Budapest par l'Orient-Express. Il prenait cette info très au sérieux et me conjurait de l'aider.

« Comme il m'apportait le « dossier » de la baronne, j'ai

été frappé par la ressemblance qu'elle présentait avec Berthe. »

— Merci pour elle ! ronchonne le Mastoche. J'savais pas qu' ma légitime était aussi tartouze. Note : j'avais des doutes, mais pas à ce point !

— Je te parle de la corpulence. Pour le reste, évidemment qu'il n'y a rien de commun puisqu'on a dû lui faire un masque.

Mon pote remâche des rancœurs :

— Moui, y a rien d'nouveau sous l'soleil : c'est les pauvres qui s'fait buter à la place des riches ! Berthy monte en première ligne du temps qu'l' aut' vachasse r'garde « Questions pour un Champion » à la téloche, dans sa clinique huppée. T'sais qu'elle est courageuse, ma rombière, d'avoir accepté d'jouer c'te comédie ?

— Héroïque, admets-je. Mais si elle a accepté, c'est parce qu'elle a confiance en nous, gars !

— De Montélimar, ricane l'Enflure.

A cette superbe période de notre dialogue, une hôtesse de la compagnie vient annoncer aux voyageurs que le fastueux train est prêt à les accueillir.

Tout le monde s'ébranle avec une lenteur de gens aisés, voire blasés, se rendant acquéreurs d'un plaisir tarifé.

Il y une sorte de comptoir volant, sur le quai, avec, derrière, des employés en grande tenue : uniforme bleu nuit, nœud pap' ; grooms en spencer rouge. L'un de ces derniers te guide à ton wagon où le steward te prend en charge, superbe, bien qu'Anglais, dans son uniforme bleu gansé d'or. Il ne parle pas une broque de français, ce qui contraint Sa Majesté à lui déballer illico ce langage hybride dont il use avec les sujets de la mère Zabeth :

— It-is-t-il possible de to drinque ouane bire, my pote ? Le plus couiquely sera le betteur, biscotte les escarguinches de mon goûter trouvent pas la sortie of my estom'. J'croive qu'j'ai eu tort d'en claper quat' douzaines, surtout après une choucroute...

Je ne puis m'empêcher d'être fasciné par ce train de légende, bleu, à toit blanc, au-dessus des fenêtres duquel courent ces mots magiques : « Compagnie Internationale des Wagons-Lits et des Grands Express Européens. » Qui n'a pas rêvé de prendre place à bord de ce palace à roulettes, escorté d'une frangine qu'il calcera langoureusement, bercé par le mouvement complice du convoi ?

Nous occupons la voiture B. Béru a le compartiment 1, la « baronne » le 2, moi le 3 ; ce qui fait que nous encadrons la fausse Mme Van Trickhül. La moindre des choses. Je n'ai pu obtenir l'acceptation de Berthe pour jouer « la chèvre »[1] dans cette affaire qu'à la condition que nous ne la quitterions pas de la prunelle. Moyennant cette certitude, l'admirable femme joue parfaitement son rôle, portant avec grâce toilette haute couture, bijoux de grand joaillier et sac Hermès.

Les bagages sont déjà dans nos « cabines ». J'extrais mon smokinge de ma Vuitton. M'man me l'a si bien rangé, fourrant du papier de soie dans les manches et les pliures, qu'il peut être porté sans le moindre repassage. Chère Félicie ! Ne manque pas un bouton de manchette ou de plastron. Elle m'a laissé le choix entre deux nœuds papillon : un noir et un violet, et deux pochettes correspondant aux nœuds. Mes escarpins vernis étincellent et chacun d'eux héberge une chaussette de soie. J'étale le tout sur le canapé pas encore transformé en couchette.

L'endroit est exigu, bien sûr, mais luxueux. Cloisons recouvertes de marqueterie couleur miel, coussins de velours frappé, lampes délicates en forme de corolles.

1. Elle est davantage douée pour les rôles de vache.

Le train s'ébranle sans secousse, tambour, ni trompette, d'une allure moelleuse, « comme en un rêve ». Le cabinet de toilette d'angle illumine l'étroit local. Une rose rouge est piquée dans un porte-fleur, la glace en fait deux !

Inspection de la porte de communication qui me sépare du compartiment de la Baleine. Elle est dûment verrouillée et ce n'est pas mon sésame qui peut en avoir raison, because la simplicité du système. Je tente de couler un bout d'œil chez la Gravosse. J'équipe ma petite percerette de poche en forme de stylo et pratique un trou de trois millimètres de diamètre dans un motif de la marqueterie représentant une pivoine. Pile au cœur de la fleur; facile à obstruer ensuite avec un peu de ce chewing-gum qui a transformé les Américains en ruminants verticaux.

Ma prunelle scrutatrice reçoit avec violence Berthe Bérurier en slip, s'apprêtant à passer un robe de soirée noire à paillettes. Quarante kilogrammes de glandes mammaires brillent dans la délicate lumière blonde. Le mot « ouragan » me vient. Il y a de la violence en puissance dans ces formidables nichons aux bouts gros comme des fraises de comice. Elle chantonne, l'élégante, un tube récent : *Frou-frou*. De toute beauté ! Avant d'enfiler sa robe de bataille, elle se gratte la raie des miches par-dessous sa culotte, sent ses doigts, comme pour s'assurer qu'il s'agit bien d'elle, hoche la tête, convaincue, puis s'habille en baronne de gala.

Je sors dans le couloir. Mon steward, à l'affût, me demande s'il pourra transformer mon salon en chambre pendant le dîner; je lui réponds que volontiers. Le convoi de princes file à moyenne vitesse dans un paysage de nuit mouillée, criblé de lumières ouvrières. A travers le rideau de flotte, j'aperçois un carrefour livide que traversent de rares voitures, des immeubles de briques (et de broc) bourrés de téléviseurs.

Nous sommes à bord d'un train qui a le temps ; train d'oisifs à la destination sans importance ; nous roulons pour rouler, non pour rallier un point à un autre. Cela ressemble un peu à une croisière où l'on navigue sur une vie de plaisirs davantage que sur la mer.

Je longe la main courante jusqu'à l'extrémité du wagon, histoire de retapisser les lieux. Les deux compartiments succédant au mien communiquent car une famille britannique les occupe : papa, *mother* et leurs deux filles. L'une est moche comme un cul, l'autre belle comme une chatte. Seize et dix-neuf ans, je leur donne. C'est la petite qui est locdue : basse du valseur, le pot d'échappement rasant la moquette, le cheveu rouquin et frisé, la peau blafarde, le regard albinos et strabique, un bec-de-lièvre mal rafistolé, les oreilles rouges, tu mords le Rembrandt ? Sa grande sœur, par contre, mérite le détour par Soho ! Brune, grande, des yeux verts, le teint bronzé, une bouche propre à te décapsuler le gland, des roberts qui doivent l'empêcher de dormir sur le ventre avec, pour couronner le tout, une flamme dans le regard qui ferait comparer celle d'un chalumeau oxhydrique à un ver luisant.

Je commence à marquer mon territoire d'un léger sourire engageant. Le côté : « bienvenue à bord, ma mignonne, j'ai des diapos plein mon calbute à vous montrer ». Mais il ne faut jamais insister au premier contact, que sinon tu risques de faire capoter ton coup. Un gentleman pose son pion, mine de rien, et continue sa route.

C'est le bon moment pour étudier les autres passagers de la voiture B, car ça commence à frétiller pour le dîner de gala. Les matous sont en smok et certaines frangines ont rivalisé pour se loquer dans le style Arts déco. A la suite des Rosbifs que je viens de t'évoquer, y a un couple de kroums à cheveux blancs qui commencent un peu d'égroter. La vieille a une canne anglaise et son vétuste est penché en avant, comme un qui rebrousse chemin après s'être aperçu que ses fouilles sont trouées. Je les situe Allemands ou Scandinaves en cas de besoin. Ils sont plein de sollicitude l'un pour l'autre ; on sent qu'ils se sont mutuellement consacré leur vie et je me dis que, putain, ce bol de liberté qu'il va déguster, celui qui survivra à son conjoint ! Ce qu'il va faire bon le pleurer ! Parce que, contrairement, c'est toujours les couples unis qui fournissent les meilleurs veufs (ou veuves) tandis que c'est souvent dans les unions d'apparences foireuses qu'on trouve les inconsolables. Ils sont bizarres, les gens, tu sais ?

Après ces deux fossiles, autre échantillonnage de ménage. Là, ça sent bon son « voyage de noces ». Pas des Français, eux non plus. Je vois pas bien, faut qu'ils causent pour que je les situe. La fille est plutôt jolie, châtain clair, coiffée court avec une raie et un dégradé dans le cou, mèche dansante sur le front. Rieuse, potelée à point. Ce genre de gonzesses, elles sont comme les poires : faut les consommer au jour J, sinon t'es déçu. Deviennent vite blettes, ou bien, si tu les cueilles trop vite, n'ont pas encore le goût de la poire. Son tendeur est dégingandé, frisé afro, à lunettes. Un intello, je te parie ma bite ! Et qui chique à l'artiste, à l'anticonformiste.

Lui ne porte pas le smok, mais un jean, un blouson de velours bleu foncé par-dessus une chemise bleu clair ornée d'un nœud pap' blanc. Spécial, tu vois. Mais enfin y a une recherche dans sa mise.

Le dernier compartiment est celui de deux ladies arachnéennes. Ce qui paraît de plus solide en elles, c'est la laque de leurs cheveux blancs. Sont-ce deux frangines ? Elles ne se ressemblent pas du tout. Deux amies de pension vouées au plus farouche des célibats ? Voire un ménage de dames arrivées à l'âge où elles ne peuvent plus se bouffer le frifri qu'avec une paille. Peu importe. Elles sont flétries, passées, touchantes. Elles jacassent, et en anglais, c'est rigolo de jacasser.

Je décide de rejoindre le Mastard. En repassant devant les compartiments de la *british family*, je flanque un nouveau coup de périscope à la brunette aux yeux verts, mais elle est occupée à se recharger le rouge à lèvres et c'est la cadette qui l'encaisse.

Je toque au numéro I. Je ne demande pas Mam'zelle Angèle, comme dans la chanson, mais pénètre sans attendre qu'on m'y invite. Spectacle d'une forte intensité. Béru en tenue de soirée! Un fait inouï. Tu sais quoi? Son smok de location *est trop grand* pour lui. Je ne croyais pas la chose possible. Il pourrait inviter son cousin Léon à cohabiter dedans! Moi, je crois que ce vêtement a été conçu pour le géant Atlas, dans les années 50 ou 60, et que la maison l'a gardé pour l'offrir au musée de l'habillement. Et puis, tu sais ce que c'est. D'une chose à une autre, on oublie ses intentions pour ne plus s'occuper que du quotidien.

Donc, Sa Majesté a jeté son abominable dévolu sur la chose. Il a retroussé vingt-cinq centimètres de pantalon et quinze de manches. On a épinglé la veste de l'intérieur pour qu'il puisse la boutonner. Elle lui descend plus bas que les genoux et il est contraint de s'accroupir pour pouvoir mettre les mains dans ses poches. Mais baste, à la guerre comme à la guerre, il n'en reste pas moins que notre homme est en smoking et fier de l'être. Par contre, il porte, sous le menton, une chose étrange, noire et épaisse, qui a une forme de lavallière mais n'en est pas une, de toute évidence.

Je lui demande ce dont il retourne.

— J'ai oublié mon nœud, avoue-t-il; t'sais c'que c'est quand t'est-ce la bourgeoise n'est pas là? Comme la Grosse s'trouvait dans ta clinique belgiume, j'ai dû préparer ma valdingue seulâbre. Alors j'm'ai noué un' chaussette noire au corgnolon pour remplacer. L'illuse est parfaite, non ?

— Totale, Gros. Ton ingéniosité reste diabolique.

— Faut qu't'aies l'œil pour t'en aperçure, complimente le Phénoménal. Rien n' t' réchappe, técolle !

— Je visualise, fais-je.

Là-dessus, la baronne Van Trickhül passe dans le couloir, répandant à la ronde un parfum qui fera tourner les plats en sauce au wagon-restaurant. Elle n'a pas un regard dans notre direction, ce qui meurtrit le Gravos.

— Qu'a tinsse son rôle, je dis pas, renaude le Copieux, mais me passer d'vant comm' si j'serais un' merde d' clébard, j'trouve qu'elle en r'met, la Berthe. Tu voyes, Sana, les femmes, é s'sentent plus sitôt qu'tu y accordes un peu d'importation. V'là c'te vachasse qui m'fait sa sucrée ; moi qui lui mets des coups d'guiseau qui m'a obligé d'souscrire un abonn'ment menstruel chez not' ébénisse pour qu'y vinsse réparer le plumard réguyèr'ment, si fort qu' j'l'astique la moniche !

On entreprend de filer le train (c'est le cas de le dire) à la fausse Belge jusqu'aux voitures-restaurants. Il y en a deux à la suite, chacune dans un ton différent. Un maître d'hôtel britannique prend en charge la baronne et lui propose une place dans le sens de la marche à une table de deux où elle sera seule. J'arrose le gonzier pour qu'il nous installe à faible encablure de la Gravosse.

Ce wagon : quelle opulence ! Moquette épaisse, fauteuils confortables recouverts de velours tête-de-nègre frappé (il a été conçu au temps de l'esclavage), éclairage mourant diffusé par des loupiotes délicates en forme de tulipes. Le nappage est damassé, les cristaux gravés, les lampes de table munies d'exquis abat-jour saumon. Vaisselle marquée du sigle de l'illustre compagnie. Tout est luxe, harmonie, douceur feutrée. Les loufiats empressés sont italiens et, nous allons le constater sous peu, la brigade des cuisiniers, chef en tête, française. Toutes les conditions se trouvent donc réunies pour assurer à la clientèle un max de félicité. Le sommelier nous présente la carte des vins.

— Y a du beaujolais? s'inquiète le Mammouth.

Je le rassure : il y en a. Pour moi qui ai des goûts plus raisonnables, je me contente d'un Montrachet pour la fricassée de coquilles Saint-Jacques aux escargots (mariage sublime de la Bretagne avec la Bourgogne) et d'un Gruau-Laroze 86 pour prêter aide et assistance au pigeonneau sur lit de foie gras, qui suit.

Tout en clapant ce repas digne de Lucky-Luke (comme dit Béru au lieu de Lucullus), j'observe à la dérobée les gens du voyage.

A la table la plus voisine se trouvent le ménage anglais et ses deux fillasses; dommage que je tourne le dos à la jolie, j'aurais fait fonctionner mes prunelles pour passer le temps. Sont également présents dans notre voiture-restau, l'intello-frisé-à-lunettes avec sa poire-à-point, très appétissante dans une toilette charleston noire et blanche à longues franges. Les autres passagers de notre voiture B ont été répartis dans le deuxième wagon-restaurant. Par contre, j'avise des têtes pas encore retapissées : trois Japonais inévitables qui, eux, ne se sont pas mis en smok et détonnent un peu plus en cette élégante assemblée. Un gros pédégé sanguin (mais non sans gains) qui s'éclate avec sa secrétaire déguisée en Marilyn Monroe de sous-préfecture. Un pédé décoloré avec son mari d'apparence sud-américaine. Ils portent le smok, mais n'ont pas de cravate noire et laissent leur chemise déboutonnée jusqu'à la taille afin d'exhiber leurs poitrines invelues. Pour terminer la galerie de portraits : deux couples genre Lion's qui doivent partouzer un chouia manière de lubrifier leurs excellentes relations.

Tout semble infiniment rassurant et détendu. La baronne clape sans gloutonnerie. Berthe aurait-elle pris des leçons de maintien ? Toujours est-il qu'elle est dans la peau de son personnage et paraît s'y sentir à l'aise.

Doux ballottement de l'Orient-Express, propice aux digestions de première classe. De temps à autre, nous croisons un autre train qui déferle dans un bruit d'apocalypse, heureusement très bref.

Jusqu'à présent, ça roule !

JEUDI

Quelque part en Champagne, 23 h 57

Le pianiste joue *Yesterday*. C'est un air que j'aime bien et flanque dans beaucoup de mes bouquins parce qu'il me vague l'âme.

Il en existe trois ou quatre, comac, qui se mettent à titiller le bout de mon cœur comme un clitoris. La musique c'est bien commode : tu peux chialer sur commande. Tu te mets l'*Adagio* d'Albinoni ou l'*Ave Maria* de Schubert et ça te déconstipe illico les lacrymales.

Le wagon-bar est à la hauteur du reste, question prestige. Même marqueterie, même éclairage. Le comptoir d'acajou te donne soif de boissons délicates, de préférence exotiques ; il comporte une courbe dans laquelle s'inscrit la forme du piano crapaud. Le maestro a la frite de tous les pianobaristes du monde quand il est minuit et qu'il ne reste plus que trois ou quatre peloux à gorgeonner sans trop prendre garde à ses ritournelles. Il se fait chier stoïquement, joue par routine un répertoire sans variantes, attendant que le dernier poivrot décarre à la niche pour enfin s'en jeter quelques-uns derrière la cravtouze avec le barman, en parlant de leurs petits problèmes existentiels.

Berthe-Van Trickhüle est toujours seule derrière un gin-tonic auquel elle a peu touché, ce qui est assez stupéfiant de sa part. Moi je craignais tout d'elle. Je la voyais chambrer les hommes seuls, toucher la braguette des serveurs, s'enquiller des alcools gazéifiés et toutim. Ben non. Prostrée ! Ça te la coupe aussi, non ? Est-ce le poids de son rôle qui l'accable ? Je ne vois pas d'autres explications. De temps en temps, Bérurier se met à tousser gras, de façon artificielle, pour attirer l'attention de son épouse, lui mendier un regard. Que tchi ! La Baleine continue d'impavider comme si elle ne le connaissait ni des lèvres (de la chatte) ni des dents. En changeant de frime, elle a changé de personnalité. Elle semble perdue dans des pensées abyssales.

Peu à peu, l'élégant wagon-bar s'est vidé des autres consommateurs et nous restons tous les trois dans la torpeur cahotique du noble train. Qu'à la fin, le pianiste, écœuré, rabat le couvercle de sa boîte à dominos et va, comme je le subodorais, s'enquiller un scotch *on the rock* au bar.

Le dur roule à la langoureuse, comme au temps des voyages de noces 1900.

— Y s'rait p't'êt' temps qu'on allasse r'miser not' couenne dans les torchifs ? fait Bibendum à voix haute, comme pour signifier à sa rombiasse de lever le siège.

N'obtenant pas de résultat, il s'arrache à la moelleur du fauteuil et m'adresse un œillard complice.

— Bon, ben j'y vais, hein ?

— Vas-y !

Passant devant sa morue, il chuchote si discrètement que seuls les lampistes du fourgon de queue ne l'entendent pas :

— Au plumard, la mère, y a pas d' messe d' minuit c' soir !

Et il sort en tanguant des meules.

Un assez long moment s'écoule. Tu sais que je

commence à m'inquiéter ? Un vrai zombie, la Gravosse. Regard perdu, apathique en diable. Est-ce consécutif à la digestion ? Tu sais que l'apathie vient en mangeant ? Comment ? Je l'ai déjà fait ? Oui, mais y a longtemps. Les blagues, c'est comme les gonzesses : elles se refont vite une virginité.

Là-bas, au bar, le serveur et le pianiste, auxquels s'est joint le maître d'hôtel, conciliabulent en anglais. Moi j'ai jamais compris qu'on trouve des choses à se dire dans cette langue. La preuve c'est que les Britiches ne savent que parler du temps. Quand c'est sérieux, comme leurs devises monarchiques par exemple, ils usent du français : « Honni soit qui mal y pense », « Dieu et mon droit ». Je le faisais remarquer à un gazier anglais de mes relations, récemment. Sur son blazer il se charriait un écusson gros comme une choucroute garnie représentant les armes de l'Empire : les lions, la couronne avec, en banderole au-dessus, le fameux « Honni soit qui mal y pense ». Il s'était jamais aperçu que c'était écrit en français, ce con. Croyait qu'il s'agissait d'une citation en anglais médiéval ; je te jure ! Mais je divague, comme souvent. Quand j'embarque à bord du bateau digression, je pars pour des croisières-mystère qui me font voir des pays que tu ne peux soupçonner.

Ce qui fait capoter ma gamberge, c'est un incident inattendu. Un homme que je n'ai encore pas vu, se pointe, en provenance de la tête du train, alors que notre wagon, à nous autres, se trouve côté queue par rapport au wagon-bar.

Il vient s'asseoir sur le pouf placé aux pieds de Berthe et qui supportait un petit plateau avec le gin-tonic de la Bérurière. L'homme s'est saisi du plateau et l'a posé sur le siège voisin. Le voilà qui me tourne le dos et qui jacte avec la Grosse. Il parle à voix basse ; la Baleine blanche acquiesce. Le barman lâche ses conciliabuleurs pour venir s'enquérir des désirs de l'arrivant, mais ce dernier le stoppe à mi-trajet d'un geste dénégateur. Peu après, il se lève et repart. Qu'à peine ai-je eu le temps de le défrimer : grand, la quarantaine, le visage brique, une chevelure archiblonde, un regard clair.

N'écoutant que mon instinct, je compte posément jusqu'à deux et lui file le dur (dans le dur). Il largue le wagon-bar, pénètre dans le suivant où se trouve le compartiment boutique et continue sa route.

Une nuit peu lunée escorte notre déambulance. Ciel boursouflé, des essaims de lumières tremblotantes, des étendues de vignobles, quelques routes improbables... J'ai le sentiment angoissant que tout ça n'existe pas, n'est qu'une illusion qui peut-être se concrétisera à l'aube.

Le blond change encore de wagon, mais ne va plus très loin. Son comparte est le second de la nouvelle voiture. Il s'y engouffre. Moi, je continue, gagne le terminus du convoi et reviens chez moi. Au repassage, j'applique mon pavillon contre la porte du blond, mais je ne perçois aucun bruit de conversation.

Mon salon est devenu chambre par la grâce du steward. J'ôte la cravate noire, ma veste de smok et guette au trou pour mater ce qu'il en est de Berthe.

Déjà en limouille de noye, la Grosse. Un truc très ample, dans les teintes pêche, avec de la dentelle, des manches kimono, des broderies chinoisantes. Ça ressemble à cinq sacs superposés : les seins, le ventre, les miches, la tronche. Elle coiffe un bonnet fanchon en tulle, pour la nuit, et j'ai beau chercher, je ne parviens pas à trouver chez elle un truc qui ne soit pas grotesque. Cette matrone, je lui jetterais n'importe quoi à travers la gueule, sauf mon dévolu, espère !

La voilà qui se livre à un exercice consternant, que seul mon souci de vérité m'incite à te révéler : elle ôte l'abat-jour d'opaline de la lampe, pisse dedans et évacue le résultat dans le lavabo.

Ulcéré, mort de dégoût, je laisse quimper mon échauguette et, en homme parfaitement civilisé, gagne l'une des deux toilettes placées à chaque extrémité du wagon.

La curiosité me tenaille : Qui est l'homme blond que Berthe attendait au bar, et que lui a-t-il dit?

Évidemment, je n'ai qu'à me rendre dans le compartiment de la grosse Vache et l'interroger, ce faisant je manquerais à mon plan de bataille qui est de vigiler sans me manifester. Je décide donc d'attendre mais d'ouvrir l'œil, voire les deux.

De retour dans ma « cabine » (c'est décidément le mot que je choisis pour qualifier ce local en mouvement), j'attrape un gros bouquin sur l'affaire Seznec, écrit par son petit-fils, et le lis, à poil sur mon lit, car il fait très chaud dans ce compartiment. L'affaire Seznec m'a toujours passionné et je porte en moi cette infamie qui a amené des jurés à condamner un homme pour meurtre sans qu'on ait jamais retrouvé de cadavre ni recueilli d'aveux. J'étais tout môme que, déjà, ce grand type à la gueule saccagée déambulait dans cette partie collective de ma conscience où s'accumulent les remords relatifs à des actes qu'on n'a pas commis mais auxquels on participe bon gré mal gré en qualité de citoyen.

Je tourne les pages, m'enfonce dans l'histoire tandis que l'Orient-Express suit son bonhomme de chemin. Au bout d'une plombe, je coule un z'œil chez Berthe. Tout est obscur, mais je l'entends ronfler. Sur ma gauche aussi, ça concasse. Entre les deux époux, je suis paré, question de veiller. Encadré par ce double vacarme, je ne risque pas de m'endormir.

VENDREDI

St. Anton am Alberg, 9 h 14

Hmm ? Hein ? Quoi ? Qu'est-ce ? Comment ? Pardon ? Vous dites? Un tumulte torrentiel se déclenche dans mon cigare.

J'ai un gros bouquin sur la gueule, mais je sens qu'il fait jour derrière. M'ébrouade. Le livre choit. Un rai de lumière mordorée m'énuclée. J'ai mal au crâne. Ça fait des bruits sinistres sous mon capot. Genre fraise de dentiste, tu sais ? D'en plus, on cogne contre du bois. Et puis une voix grasse comme un bac à friture :

— Tonio, merde ! T'es mort ou quoi-ce ? Si t'es mort, dis-le !

Alexandre-le-Gros !

Je fais un intense effort pour me verticaliser, embarde ; heureusement le comparte est exigu et la cloison me retient. Je finis par décrocheter ma lourde.

Messire Béru est là, rouge d'avoir cigogné la serrure et furax que j'aie mis autant de temps à me manifester.

— T'as du béton dans les cages à miel ! éructe l'Etrusque.

— J'ai dû m'endormir, bafouillé-je.

— Un pneu, mon n'veu ! Dix minutes que je gueule pour t'arracher ! Les Angliches sont v'nues me r'nauder contre : la gonzesse locdue surtout. Avec mes deux paluches, j' lu ai r'constitué ma bite à travers mon futal et elle a fermé net son claqueret !

— Toute la grâce de l'Orient-Express, ricané-je.

Il entre, superbe dans son jean éclaté et son pull bleu troué aux coudes. Il me regarde masser ma nuque.

— C'est tes vins à la con d'hier soir qui t'a endormi, déclare-t-il. T'aurais cantonné dans le beaujolais-village, t'éclusais tes quatre boutanches comme moi et tu t'en sortais nickel, mec.

Le timbre grumeleux de sa voix de saint-bernard réclamant du secours me martèle durement la matière grise. Il a beau dire, Béru, je ne crois pas trop à la conséquence de mes libations qui restèrent dans le domaine du raisonnable.

Il remonte le store de mon compartiment. Je pousse une exclamation de surprise : la neige ! Nous voilà dans le Tyrol. Le blase de la gare où notre dur est stoppé évoque des culottes de daim et des feutres verts à plume : « St. Anton am Alberg. » Déjà l'Autriche !

On voit des employés à casquette rouge qui s'affairent sur les quais. Justement, notre train repart, gentiment. D'autres trains, dans les tons bleu ciel ou beige circulent à contre-courant du nôtre, emportant des gonziers vers les chiries du quotidien.

— J' m'ai réveillé tôt, m'assure l' Gros, biscotte un empaillé d' cent'naire qui confondait mon comparte avec les chiottes.

— Il aura été abusé par l'odeur, noté-je.

L'Imperturbable continue :

— J' m'ai rasé d' fraîche, loqué en gentleman farmeur et j' sus été me coller une brique faste dans l' cornet en attendant qu'on va petit-déjeuner ensemble, les deux. J'ai pris des œufs bredouillés au balcon, des saucisses pommes-frites et un d'mi-poulet froid mayonnaise. J' bouff'rai les frometons et les crêpes sucette en ta compagnie quand t'est-ce tu seras su' l' pied d' grue.

La suite de ses projets m'échappe et sais-tu pourquoi ?

Parce que l'idée m'est venue de jeter une œillée chez la Grosse et que le trou que je me suis ménagé à cette fin est obstrué par une sorte de « guille » de plastique. Comme ladite est en forme de canule, je peux néanmoins voir à travers puisqu'elle est percée. Le trou est plus étroit, voilà tout.

A dire vrai, je n'aperçois pas grand-chose, sinon le lit vide ainsi que les valoches de la Baleine dans le filet à bagages.

– Tu as aperçu ton harnais, ce morninge?

– Que tchi. Elle en concasse encore, la Berthe. Dès qu'elle voiliage, c'est la ronflette tout d' sute. Elle voye pas l' paysage, elle, jamais; d'ailieurs elle s'en torche.

Je biche mon mocassin et, me servant du talon comme d'un marteau, je chasse, d'un coup sec, la cheville percée rétrécissant mon champ de vision. Une vue plus élargie du compartiment de la baronne m'en confirme la viduité.

Et d'un seul coup d'un seul, mes poils occultes : ceux qui me portugaisent les sous-bras, ceux qui m'emmitouflent les deux orphelines, ceux qui matelassent mon poitrail de manière à le transformer en oreiller pour dames se dressent comme dans une pub de Danone. Et non seulement, les voilà trempés de sueur, les pauvres! Je pige que cet embout fiché dans mon trou a servi à l'émission d'un gaz chargé de me soporifier. Et si on a fait cela, depuis chez la Berthe, c'est qu'on la tenait à merci! Oh! Seigneur de miséricorde et de mansuétude, que vient-il de nous arriver! La truie béruréenne servait d'appât et on l'a bouffée sous mes yeux, positivement!

Le gros Tas-de-couilles me défrime d'un œil maquignonesque. Tu dirais qu'il cherche à vendre un cheval panard à un éleveur en tentant de lui faire croire qu'il a gagné le Prix de l'Arc de triomphe.

– Y a une béchamel? murmure-t-il entre ses dents de

devant qui, non seulement sont fausses, de par sa vie truffée de horions, mais qu'il a fait remplacer par des molaires qu'il juge plus résistantes.

Au lieu de répondre, je passe ma robe de chambre Hermès (ancien modèle, maintenant, on ne les double plus), chausse mes mules et bondis dans le couloir. L'Anglaise jolie est accoudée au bastingage et regarde défiler le Tyrol. Étant ce que je suis, je lui vote un mirobolant sourire qui me fait marquer un point dans son slip. Mais j'ai, hélas ! d'autre chattes à fouetter que la sienne pour l'instant, aussi ouvré-je-t-il en grand la porte de Berthe. Ce que je redoutais le plus au monde depuis 180 secondes m'arrive : la fenêtre de la fausse baronne est ouverte au max. J'apprécie d'un regard exercé le passage ainsi occasionné. Pas de doute : même une vachasse comme Berthe a pu passer par là.

Maintenant, tel que je te connais, tu vas m'objecter : « Si quelqu'un a éjecté mémère sur la voie, pourquoi n'a-t-il pas rabaissé la vitre ensuite ? » A quoi je te répondrai : « Il ne pouvait pas, s'il a pris le même chemin que la Mère Gras-double. » Dans mon idée, ça s'opère de la façon suivante : tard dans la nuit, on s'introduit chez la Grosse. Elle n'a pas mis le loquet de sécurité parce qu'elle attendait une visite qu'on a dû lui laisser espérer galante, tu connais la Gravosse.

On la neutralise et on se hâte de m'endormir au moyen d'une cartouche soporifique. Tu me suis-t-il-tu ? *Yes* ? Banco ! Quand on sait que je roupille, on attend l'une des nombreuses voies d'attente où l'Orient-Express stoppe pour laisser passer les vrais trains, ceux qui, je te le répète, n'ont pas pour mission de balader les gens, mais de les transporter.

Jeu d'enfant, alors, que d'évacuer Mistress Monticule par cette fenêtre et de quitter le dur à sa suite. C'est l'heure où tous les rideaux de tous les compartiments sont baissés. Il suffit d'éteindre l'éclairage de la cabine pour agir sans risque. On est dans la montagne, en Suisse ou en Autriche. Aucun employé de la fameuse compagnie ne descend à contre-voie pendant les nombreux arrêts de ce convoi lambin. L'enlèvement est propre, discret, efficace. Des heures vont s'écouler avant qu'il ne soit connu. Au moment où je rêve d'Aspirine du Rhône pour niquer ma migraine, Berthe (ou plus exactement, Léocadia Van Trickhül) a pu, sans précipitation, être conduite en France, en Allemagne, en Suisse ou en Italie. Le coup a été superbement réalisé, avec une simplicité et une efficacité ahurissantes.

On tapote mon épaule. C'est le Gros, très froid, très impersonnel.

— Selon d' toi, j' sus veuf? me demande-t-il.

Je baisse la tête sans répondre. Il est trop fin limier pour ne pas avoir tout pigé, l'Hippopotame. Il va même jusqu'à ramasser, dans un pli du drap, la capsule de gaz vide.

— C'est pas qu' tu soyes pas intelligent, murmure-t-il, mais la vérole, av'c ta pomme, c'est qu' tu croives aux mouches. Faut toujours qu' tu coupasses dans des combines à la mords mon nœud, qu' même dans les bandes des six nez, y z'oseraient pas les employeyer. C't' idée de faire faire la gueule d' ta Belgium à ma pauv' Berthe, que Dieu aye son âme! L'était si tant tell'ment ressemblante qu'on m' l'a virgulée su' l' ballastre où qu'une flopée d' trains y a passé dessus; et elle, c'tait plutôt des mecs qu'ell' encaissait, portée comme ell' était!

« Si j'aurais attendu d'êt' veuf en montant dans c' tortillard! Veuf! Av'c un enfant à él'ver. J' pourrerai jamais tout seul : l' métier dont j' fais! Faudra qu' j' m' r'marille. Trouver une fille bien, à not' époque, c'est pas d' la fraisette! J' voye, pour moi, une frangine d'une vingt-deuxaine d'années, à la poitrine bien en main et au cul large comme une tondeuse à gazon. A propos d' tondeuse : faudrait qu'elle eusse beaucoup de poils, j'aime ! Moi, une vraie gonzesse, c' t'avant tout la cressonnière. Quand j' la gloupe, c'est comm' si j' morderais dans une paillasse : faut qu'j' fisse les foins avant d' trouver l' bonheur. L'escarguinche bien protégé, tu sais ? Qu'après ta minette, t'as les chailles comme le peigne d'un gazier qu'est en manqu' d' Pétrolân.

« J' croive qu' j' passerai une annonce dans l' *Chasseur Français*. Faudra qu' tu m'aides à la rédactionner, tu m' dois bien ça. C'est pas l' tout d' rende les copains veufs, faut-il ensuite leur donner un coup d' main pour qu'y r'constituassent un foilier. Ma nouvelle femme, j' l'aim'rerais fille d' cultivateur, la bonne baiseusse ardente au chibre et qu'aye pas honte quand la fantaisie t' prend d' la pratiquer par la sortie d' scours, malgré qu' t'eusses un baobab sous la ligne d' flottaison. Moi, ma d'vise, c'est presqu' le tit' d'un film : "L' con, la broute et l' trou rond." Un complet, quoive ! »

Je laisse le veuf inconsolable à ses perspectives de réorganisation et vais m'attifer.

VENDREDI

RÉGION D'INNSBRUCK, 10 H 40

J'ai toutes les peines du monde (et de sa périphérie) à dissuader le Gros de prendre séance tenante le petit déjeuner. Il n'a eu que son breakfast et, veuf ou non, il entend se sustenter pour pouvoir mieux affronter les heures noires.

Nous filons directo à la cabine du gus qui, la veille au soir, est allé causer avec Berthe au wagon-bar.

J'ai la certitude de ne pas l'y trouver, estimant que c'est lui qui a procédé à la décarrade de la Bérurière au cours de la nuit. Aussi, juge de ma stupeur tonitruante quand, à la suite de mon toc-toc, on me crie d'entrer et que je le trouve assis sagement dans son compartiment, les pieds sur un tabouret recouvert de velours, en train de lire *L'Événement du Jeudi*, ce qui dénote de sa part une culture certaine. Je te l'ai déjà signalé, naguère, il est archiblond, avec un teint qui hésite entre la couperose et le coup de soleil, un regard indéfinissable. Ce morninge, il porte un futal de lainage à minuscules carreaux blancs, noirs, marron, ainsi qu'un beau blouson de daim de couleur fauve dressé.

Il me défrime d'un air indifférent, sans marquer de surprise ni d'agacement. Pas un mot. J'arrive, c'est à moi de jacter.

— On peut parler? demandé-je.

Geste vague, désinvolte, mais d'acceptation.

Je fais signe à Bébé-Lune de demeurer dans le couloir et ferme la porte. Sans hésiter, je produis ma carte prouvant comme quoi, et il m'en donne acte d'un acquiescement très bref.

— Tard dans la soirée, attaqué-je, vous vous êtes rendu au bar et avez échangé quelques mots avec une forte dame qui s'y trouvait ?

— C'est un délit ? demande-il d'une voix badine.

— Pas encore, mais ça pourrait le devenir, sibyllins-je.

Il dépose son hebdomadaire de l'élite à côté de lui.

— Racontez-moi cela, monsieur le directeur.

— Je le ferai dès que vous m'aurez relaté votre entretien avec Mme Van Trickhül.

— Il s'agit de ma vie privée et je ne vois pas la nécessité de vous en parler, qui que vous soyez, riposte-il, avec toujours ce calme qui fait la sérénité des lacs de montagne.

— Mme Van Trickhül a quitté le train dans le courant de la nuit, fais-je-t-il en le matant jusqu'au fond du slip.

Là, enfin, il réagit. Un sursaut, vite « réprimandé », comme dirait Béru.

— Elle est descendue à Zurich ?

— Non, mon cher : elle est sortie par la fenêtre de son compartiment, nonobstant son léger embonpoint ; rien de plus extensible qu'un corps humain. Pour tout vous dire, je crains fort qu'elle ait été enlevée.

Alors, il semble sonné, le tout-blond. Sa face brique briquille davantage.

— Enlevée ? Mais c'est impossible dans de telles conditions !

— Pensez-vous ! Vous n'êtes pas sans avoir remarqué que notre train stoppe à tout propos, et presque hors de propos sur des voies de dégagement pour se laisser dépasser par d'autres convois plus diligents ! Il est même vraisemblable que le point « X » du rapt a été dûment prévu et que des complices y attendaient la dame ainsi que son ravisseur.

Le lecteur de *l'Événement* branle le chef (pas de gare car le train roule).

Je me penche sur lui.

— Vous comprenez bien qu'il est nécessaire que vous me parliez de votre conversation avec la dame ?

Il me paraît soumis, tout à coup.

— Je suis son amant, dit-il.

A mon tour d'avoir un haut-le-corps.

Son amant ! ce beau gosse à la musculature de rêve et à la frime d'acteur suédois, saboulé délicat ? Lui, l'amant de la grosse vache aux cuisses bourrées de cellulite, bourrelets et autres vergetures ? Un micheton, oui !

Comme la mère Van Trickhül est richissime, cézigue à la queue d'acier la fait reluire pour lui secouer de l'osier. Se laisse béatement entretenir par mémère, le gredin ! Ce qui me surprend, en l'eau cul rance, c'est qu'il ait parlé à Berthe sans s'être aperçu de la substitution. Et surtout que la Baleine se soit prêtée au jeu. Mieux : « elle l'attendait » ! Comment diantre ont-ils goupillé leur petite affaire, ces deux-là ?

Pressentant que ça va être long, je m'assieds à son côté sur la moelleuse banquette.

— Vous me dites tout, soupiré-je : qui vous êtes, où et comment vous l'avez connue, ce que sont vos relations, la nature de ses largesses...

Il bondit.

— Me traiteriez-vous de maquereau ? hurle-t-il. Ses largesses ! Ma parole, vous m'insultez !

Sa sortie me déconcerte (et tenance) je l'admets.

— Je vous prie de me pardonner, m'empressé-je-t-il, mais quand un homme encore jeune et très beau se déclare l'amant d'une femme à la cinquantaine plantureuse et qui n'est pas spécialement le sosie de la Joconde, on est aussitôt porté vers les « mauvaises pensées ».

— Sachez que, belle ou non, selon vos critères personnels, je suis éperdument amoureux de Léocadia! réplique l'étrange homme blond. Et que par ailleurs, ma fortune personnelle me permet de vivre sans avoir à jouer les barbeaux.

Il tire un porte-cartes de croco et y puise un bristol gravé : « Cédric Demongeard ».

Je sursaille, tressaute.

— Vous êtes le peintre? béé-je.

— Vous me connaissez?

— Mieux que cela : je vous admire!

Je lui tends ma meilleure main : celle qui a cinq doigts. Mon élan est spontané, mon admiration réelle. Demongeard, tu parles si je le raffole, ce mec! Cinq ans que je vois croître et s'imposer sa peinture. Un style neuf! Une maîtrise éclatante. Ça ferait songer à Botero si cela ne possédait pas une personnalité d'enfer. Lui aussi aime à peindre des obèses, mais les siens ont quelque chose de surnaturel : tons blafards de la graisse en cours de putréfaction! Des fonds enchevêtrés : greniers, cimetières de voitures, dépôts de chemin de fer où rouillent des locomotives hors d'usage. Et chaque fois, au premier plan : des êtres boursouflés, dérisoirement gros, qui racontent la faillite du mammifère homme devant la déconfiture de ses créations. Univers de rebuts. Tout défaille; les individus coulent comme des fromages parmi la dérision de leurs œuvres.

Et brusquement, je comprends qu'un tel artiste se soit entiché d'une grosse femme en décapilotade. *Elle est son modèle de base!* Tu réalises, Denise? Il ne voit pas une femme d'amour en elle, mais la femme sanieuse de sa monstrueuse prophétie artistique. C'est sa laideur et sa malgrâce qui l'enchantent et la lui font aimer.

Vous avez dit subtil ? Ça l'est ; *mais* c'est *vrai* !

— Parlez-moi de la baronne Van Trickhül, l'en supplié-je. C'est qui, cette femme ? Elle représente quoi pour que de grands dangers la menacent ? Et pourquoi, si vous êtes amants, voyagiez-vous à trois wagons de distance ?

— C'est beaucoup de questions à la fois, répond le génial artiste. Vous raconter Léocadia ? Que vous en dirais-je en peu de phrases ? Elle est, à la fois, la plus grosse fortune et plus forte personnalité de Belgique. Héritière d'un empire sidérurgique, veuve sans enfants, éprise d'art. Elle possède une demi-douzaine de galeries importantes à Bruxelles, Londres, Paris, New York, Francfort, Tokyo. Je lui dois beaucoup, et davantage. Elle gère plusieurs chaînes de journaux et de télévision ; les plus grands chefs d'entreprise du monde lui mangent dans la main. Elle sponsorise tous azimuts, commandite, distribue des fonds à des hôpitaux d'Afrique, fonde des prix, que sais-je encore !

— Vous lui connaissez des ennemis ?

— Moi, non. Mais on ne parvient pas à un tel niveau sans en avoir. Vouloir répertorier ceux de Léocadia représente probablement un travail de bénédictin. Être riche constitue, à notre époque, le plus grand des dangers.

Je rumine un moment au côté de l'artiste. L'Orient-Express (si peu express) fait « tatatoug, tatatoug » sous un tunnel. Il en sort pour suivre le bord d'une vallée neigeuse au fond de laquelle on aperçoit des villages aux clochers à bulle.

— Il s'agissait d'une escapade amoureuse ? fais-je sans préciser, mais il pige très bien.

— Disons que nous joignions l'agréable à l'utile.

— Pouvez-vous me commenter ça en une demi-page sans interlignes?

Il sourit triste.

— Léocadia a un rendez-vous d'une très grande importance à Budapest, hôtel *Hilton*, demain. Rendez-vous mystérieux puisqu'elle ne m'en a pas révélé l'objet, elle qui me confie tant de choses. Elle m'a proposé que nous nous y rendions de concert. Je ne connais pas la Hongrie et on donne la ville pour très belle. J'ai accepté. Ce projet remonte à une quinzaine. Et puis, il y a deux jours, elle m'a appelé à Paris pour m'expliquer que la police belge craignait pour sa sécurité et que, d'accord avec la française, vous, je présume, monsieur le directeur, on ferait prendre l'Orient-Express à une personne « aménagée » de telle sorte par des spécialistes, qu'elle pourrait aisément se faire passer pour la baronne. Cette perspective l'amusait.

« Mais où l'aventure se corsait, c'est qu'elle entendait opérer une sorte de “double substitution”, c'est-à-dire, *prendre au dernier moment, la place de sa doublure*. Son raisonnement tenait parfaitement la route. Léocadia prétendait que si des gens fomentaient une action contre elle, ils étaient assez informés de ses faits et gestes pour ne pas se laisser duper par l'astuce des flics et que c'est elle, en fin de compte, qui blouserait tout le monde en effectuant *réellement* ce voyage. La seule concession : nous voyagerions séparément. Elle accepta pourtant, sur mes instances, d'aller m'attendre au wagon-bar, à la fin du service, pour que nous puissions échanger deux mots de tendresse et un regard d'amour avant de nous coucher. »

Bibi, depuis quelques secondes, titube de la coiffe. Ce que m'apprend Cédric Demongeard me cloue. Ainsi donc, si je crois ses déclarations, ce n'était point Berthe, mais bien l'authentique baronne qui occupait le compartiment que nous encadrions ! Je comprends, maintenant, pourquoi la pseudo Bérurière ne nous gratifiait pas d'un regard. *Ce n'était pas elle !*

— Vous êtes absolument certain que la personne du wagon-bar était Mme Van Trickhül ? risqué-je, par acquit de conscience.

Piteux, quelque part, l'Antonio. Chef de ses couilles, oui ! Policier de carton-pâte ! Un enfant de chœur que tout le monde a pris pour une bille !

En moi, confusion, stop ! Joie : Berthe est vivante. Stop. Navrance : la baronne a été kidnappée à mes nez, barbe, poils occultes. Stop ! Conclusion : San-A est un con. *Full* stop.

VENDREDI

INNSBRUCK, 11 H 04

Le train entre en gare avec 6 minutes de retard. Je dispose de peu de temps pour téléphoner. Tiens, Bérurier a perdu patience et a quitté le wagon du peintre. Je le retrouverai plus tard, au wagon-bar, c'est couru. Là, je lui apprendrai, avec ménagement, qu'il n'est pas encore veuf et doit surseoir à ses projets concernant un second matrimoniat.

Il fait beau mais froid, l'air est limpide et sent le neuf. Un employé qui aime la bière, m'indique le téléphone. Je me munis de monnaie et compose le numéro de M. Blanc, mon dévoué second (qui n'est pas le premier venu). Fidèle au poste, le *all black*. Affairé. Tu sais que si je me cassais la cheville, il pourrait me remplacer au pied élevé (comme dit Béru) ?

Avant d'aller prendre le dur, je l'ai mis au courant de ma petite affaire. Lui, il était sceptique, trouvait qu'une combine pareille paraissait foireuse d'emblée. Le côté « Arsène Lupin contre Fantômas », c'est pas son blaud. Ils ont un autre sens du merveilleux, au Sénégal.

Charitable, il ne m'égosille pas des « Je te l'avais bien dit ! », ce qui te donne chaque fois envie de faire bouffer son chapeau au mec qui te chambre. S'il y a une chose que je ne supporte pas, c'est qu'on me reproche mes conneries, suffisamment puni que je suis de les avoir commises !

Il résume, très sobre :

— Donc, nonobstant votre vigilance (quel vit j'y lance), on a kidnappé la baronne. Quant à Berthe, elle se trouve toujours à la maison de repos de Knock-Hout-Mazoute :

— Affirmatif, comme on dit dans l'armée pour se donner l'air important. Il faut immédiatement que tu mobilises une équipe chargée de reconstituer l'itinéraire de l'Orient-Express pour tenter de savoir où la mère Van Trickhül a pu quitter le dur. Est-ce à Zurich ? Est-ce à l'une des nombreuses haltes techniques émaillant le trajet ? En outre, prière de dépêcher Pinaud en Belgique pour qu'il rencontre Berthy à la clinique et l'interroge sur la substitution de dernière heure. L'a-t-on abusée ? Était-elle consentante ?

Le Noirpiot prend des notes à la volée. Il écrit au stylo à encre, comme presque tous les littéraires (moi j'écris à la machine ou à la pointe Bic) et j'entends sa plume chanter sur le papier.

— Je suis obligé de te larguer, mon vieux Vendredi : le dur va décarrer.

— Pourquoi restes-tu dans l'Orient-Express si ta bonne femme n'y est plus ? demande-t-il en toute logique.

— J'adore les voyages, ricané-je, et il va y avoir des coquilles Saint-Jacques flambées au déjeuner. Je t'appellerai de Budapest.

Je saute sur le marchepied pile au moment où un gazier siffle le coup d'envoi. Dans le couloir, y a encore la jolie des deux frangines anglaises. Tu paries ta montre qu'elle m'attendait ? M'avait vu descendre, la friponne, et craignait que je ratasse le train. J'ai le ticket, mec, ça se voit gros comme l'Arc de Triomphe au milieu de ta salle à manger.

— Hello, lui lancé-je, c'était juste, hein ?

Elle me composte le slip d'un sourire qui réveillerait

une marmotte en plein mois de janvier, tant il est chaleureux.

Je viens m'accouder à son côté sur la barre de cuivre. Engager la converse, dans de telles conditions, n'est pas un exploit olympique.

J'attaque par :

— Le voyage vous plaît?

— Beaucoup.

En deux coups de cul hier à Pau, elle m'explique que leurs papa-maman fêtent leurs vingt-cinq ans de mariage. Lui est médecin, elle, galloise. Le dabe a confié sa boutique à un confrère pour emmener sa tribu vivre l'ensorcellement de l'Orient-Express. Ils passeront trois jours à Budapest, puis feront une visite au lac Balaton avant de regagner London en avion. Elle, elle est étudiante en archéologie. L'Égypte c'est sa passion, comme à la plupart des Rosbifs. Ces cons aiment tellement ce bled qu'ils lui ont tout piqué, si bien que maintenant, tu ne peux pas étudier la patrie de Ramsès II sans commencer par Londres. La petite sœur, celle qui ressemble à un trou de balle de rouquin collé sur une bouteille de Perrier, elle fait l'école hôtelière de Manchester. Elle est présentement en classe de pudding avant de passer dans celle de la panse de brebis à la merde.

Je la regarde me parler, l'admire. Comme elle est choucarde, la môme, avec son teint bronzé, ses longs cheveux noirs, ses yeux d'émeraude. Dommage que nous n'ayons pas une seconde nuit à passer à bord du train, je me serais risqué à lui proposer de me rendre une visite nocturne, avec la complicité de sa mocheté de *sister*. A la rigueur, elle lui aurait fait croire qu'elle se rendait aux chiches. Moi, quand la tringle est en point de mire, je redouble d'ingéniosité et tous les moyens me sont bons pour les assouvissements charneux.

Je lui bonnis comme quoi je suis diplomate (attaché

d'embrassade) volant. Je vais arranger les bidons de-ci, de-là.

Elle s'en fout. Une gonzesse qui se met à tremper son slip pour un julot, que ce dernier soit nonce apostolique, malfrat notoire ou marchand de frites surgelées, elle en a rien à branler (sinon son mignon ergot bigornien).

J'y vais à fond dans la limonade-grenadine : comme quoi, voyager dans ce train de rêve au côté d'une fille aussi fabularde qu'elle, en regardant un tel paysage, tu peux, après ça, éteindre la lampe à pétrole et te laisser mourir de bien-être.

Elle sourit. Je renifle sa délicate odeur de jeune femelle. Je t'ai toujours dit que quand les Anglaises se mettent à être formides, elles grimpent dare-dare sur la plus haute marche du podium! Imbattables, elles sont.

Allons bon, voilà la rouquine qui se pointe. Je dégode secco. L'impression qu'un yorkshire vient me japper contre! Le charme est brisé.

Elle ne répond pas à mon sourire de commande. Jalmince, la pécore! Sa grande sœur, ce qu'elle lui crèverait volontiers ses beaux yeux verts avec une fourchette à escargots!

— Daddy te demande, elle murmure.

La superbe s'excuse d'un sourire et va docilement rejoindre son géniteur. Avoir une fille pareille, ça mérite l'ordre de la Jarretière, l'anoblissement par la grosse mère Zabeth!

La teigne s'attarde, me couvant (des Ursulines) d'un regard sournois; la vraie charognerie ambulante, je te dis! Faut coûte que coûte que je me l'amadoue, cette connasse, si je veux avoir une chance de me déglander avant Budapest.

— Votre sœur m'a dit que vous faisiez l'école hôtelière de Manchester, dis-je-lui-t-il à voix pénétrée; je vous félicite, Miss. Vous choisissez-là le plus bel art du monde et c'est un Français qui vous l'affirme.

— Je déteste la cuisine française, répond la salope à deux jambes. Je la trouve obscène.

Tiens, je n'avais jamais entendu parler de ce qualificatif pour désigner notre belle cuistance.

Un éclair de rage me fait trépider la pensarde et une poussée d'adrénaline m'incite à lui recommander de faire gaffe, qu'avec son bec-de-lièvre, on pourrait l'accommoder en civet dans son école de chiasse. Mais un gentilhomme reste un gentilhomme dans les plus cruelles circonstances.

— Vous êtes belle, lui retourné-je, sensuelle et désirable, je vais aller me masturber dans ma cabine en pensant à vous.

VENDREDI

ENTRE INNSBRUCK ET SALZBOURG, 12 H 30

Mes réflexions sont noires et froides comme la truffe d'un chien bien portant. J'essaie de considérer « l'affaire » dans son ensemble, mais j'y parviens mal, ne disposant pas de données suffisantes. Mon éminent confrère Buton-Debraghette aurait dû m'en dire davantage sur les dangers encourus par sa compatriote. Tout ce qu'il m'a craché, c'est que la baronne était une personne éminente, richissime, apparentée à la Cour, et qu'elle courait un grand danger en prenant l'Orient-Express.

Je me suis contenté de cette donnée pour lui organiser ce que tu sais. Et bon, maintenant, malgré ma feinte-à-Jules, je l'ai dans la prose sous forme de suppositoire profilé et la dame Van Trickhül itou, la pauvre âme. Cela dit, elle n'avait qu'à se soumettre et respecter mon plan au lieu de zober ceux qui la protègent. C'est une téméraire, la grosse, une qui conserve sa foi en elle et qui tente le diable, persuadée que messire Satan n'osera jamais la repasser.

Peut-être ai-je tort de poursuivre le voyage ? Il a raison, Blanc, c'est pas très logique ; mais bibi quand son instinct se met à lui souffler des trucs, il joue à colin-maillard la tête la première.

Une nouvelle chose qui me tarabuste l'âme, comme

dirait la gentille Françoise Sagan, c'est l'absence prolongée du Gravos. Depuis ma visite à Cédric Demongeard, je ne l'ai plus revu, Bibendum.

Sa cabine est vide et il n'est pas au wagon-bar, je te le répète. Que dois-je en conclure ? Qu'il est descendu lui aussi à Innsbruck pour écluser une bibine fraîche au buffet de la gare et qu'il a loupé le dur ?

L'horizon s'assombrit, moi je te le dis.

Je suis à remâcher mes rancœurs lorsqu'on toque à ma porte. Je tourne le loquet et me trouve face à face avec la jolie Anglaise, pudique et rougissante comme j'aime.

— Vous voulez bien m'excuser ? demande-t-elle.

— Si c'est de cette visite, je vous en remercie, au contraire.

Elle chuchote :

— Mes parents et Dorothy sont allés à la boutique cadeaux.

— Et vous préférez la mienne ! fais-je en plaçant chacune de mes mains de son part et autre, bien à plat contre la cloison d'acajou.

— Ma sœur m'a dit que vous lui aviez débité des grossièretés ; est-ce vrai ?

— Tout à fait exact, mais c'est elle qui a commencé en me déclarant qu'elle trouvait la cuisine française obscène !

La belle brune sourit.

— Ça ne m'étonne pas d'elle, elle a un caractère impossible.

— Baste, fais-je, peut-être en aurait-elle un meilleur si elle était aussi jolie que vous.

Elle pique son fard avec une aiguille à chapeau.

— Comment vous prénommez-vous ? inquisitionné-je.

— Gwendoline !

Le pied !

Pile le nom d'une héroïne de Céline, dans *Mort à Crédit*. La petite môme qu'il connaît dans son pensionnat britiche.

— De quoi mourir de bonheur en le prononçant, dis-je.

J'avance ma bouche vers ses lèvres. La voilà palpitante comme un oiseau tombé du nid que tu recueilles, ou comme une bite d'adolescent dans la main d'une amie de sa mère (tu choisis l'image la plus saisissante, celle qui te « parle » le plus).

Au point de jonction où nous sommes, un baiser me paraît inévitable, aussi ne l'évitons-nous pas et je lui place une pelle de forte magnitude pour adolescente troublée.

Les bouches des jeunes filles ont un goût inoubliable qui ne ressemble pas à celui des femmes « accomplies ». Goût de verveine infusée, de fraîcheur matinale. Chose curieuse, je me sens investi d'une merveilleuse pureté en l'embrassant. Foin du désir charnel, bas et impétueux. Là, c'est un retour aux sources. *C'est La source* ! Je laisse mes mains étrangères à son corps, comme l'écrirait mon cher Roger Peyrefitte dont la prose n'est que délicatesse.

On reprend souffle. Pour récupérer, je frotte doucement ma joue à la sienne (je suis rasé de frais, rassure-toi).

Elle a le souffle bref, chargé d'odeurs légères; la poitrine qui se soulève et s'abaisse en cadence.

Je reviens au baiser; celui-ci, je le fignole davantage. La pointe de ma menteuse investigue ses chailles, gencives et presque ses amygdales.

— Gwendoline! soupiré-je avec ce qui me reste d'oxygène en caisse. Ô Gwendoline, mon rayon de miel, ma rose de Picardie.

Je passe un instant éclatant. Redevenu collégien, l'Antoine, grâce à cette étudiante anglaise.

— Il faut que je parte, chuchote-t-elle en remettant des mèches en ordre.

Nous sortons.

La sœur-guenon est là, le regard injecté de merde.

— J'en étais sûre! grince-t-elle en anglais britannique.

Salope! Elle est revenue d'urgence parce qu'elle sentait que sa jolie frelote avait une idée de derrière le cœur.

— Je viens de lui faire visiter ma collection de timbres rares, expliqué-je d'un ton léger.

Mais la poutronne me hait à pleine vibure et feint de ne pas me voir. Les deux se rabattent dans leur comparte, histoire de laver mon linge sale en famille. Du coup je me rends au restau, avec le secret espoir d'y retrouver le Gravos.

Nobody. Je suis le premier à table, avant l'heure de la graille, ce qui me vaut une gueule réprobatrice du maître d'hôtel. Je le prie de ne pas s'occuper de ma pomme avant le coup de pétard du starter et je sors mon calepin noir pour, sur une page blanche, dresser un résumé de l'affaire.

Tout ça, une fois noir sur blanc, me paraît branlibranlant. Pourquoi avoir enlevé mémère? Pour la rançonner? Pour lui faire cracher un secret?

Le vieux couple allemand, dont la femme marche à l'aide de cannes anglaises, se pointe cahin-caha et s'installe à la table la plus voisine. Après, ce sont les deux vieilles ladies jacassantes et perruchardes qui arrivent, puis mon pote le peintre Demongeard. On se considère. Il est tenté de prendre place à ma table, mais je lui adresse une œillade dénégatrice et il se fait installer à l'autre bout du wagon. D'autres voyageurs surviennent : des Japonais, des Nordiques, un ménage ricain dont le mec mesure deux mètres vingt avec des battoirs à linge capables de masquer l'écran d'un téléviseur géant.

« Il y a des gens bizarres, dans les trains et dans les gares », chantait jadis la mère Piaf. Quand t'es là, immobile, à contempler cette faune hybride, t'es troublé. Tu te demandes pourquoi le hasard vous a rassemblés, ces tordus et toi (autre tordu)? T'es effaré par la somme des probabilités qu'il aura fallu pour fomenter une telle rencontre. Tu lui cherches confusément une signification. T'aimerais que tout ça ne soit pas gratuit, que ça corresponde à quelque secrète harmonie; qu'il y ait un vague dessein, comprends-tu-t-il?

Le service commence. Afin de me doper le mental qui tourne décombres, je commande une boutanche de Baume-de-Venise pour escorter mon foie gras, fais l'impasse de vinasse sur les coquilles Saint-Jacques et achève le flacon avec le diplomate. Tu vois? Toujours bien régenter la tortore, c'est une manière de s'assurer une règle de vie convenable. L'homme qui gère parfaitement son menu conserve une éthique.

Le wagon, maintenant, est plein, bourré comme un oignon de pédoque incarcéré. Au bruit des bogies (ou boggies) s'ajoutent le ronron de converses et les tintements de vaisselle. Je considère ma bouteille vide avec mélancolie. Béru n'est plus à bord, sinon il n'aurait pas loupé la bouffe, tu penses bien! Qu'est-ce qui a motivé son largage, ce con? J'hésite à écluser encore un petit quelque chose pour me désendolorir l'âme. Le dur n'arrive qu'à 22 h 30 à Budapest. J'ai tout le temps de m'offrir une sieste colmateuse. Un « petit » digestif? J'aime pas ça. Papa a eu le temps de m'apprendre à aimer le pinard avant de raccrocher sa clé au tableau. Le vin souverain, si noble, si multiple! Source d'ivresse et de vie! Le Baume-de-Venise est très doux, ineffable à boire. Si t'exagères, il te laisse ensuite dans la clape un goût « consistant », un peu gluant, de papier tue-mouches.

Bon : je dois balayer la cour. Je demande une demi de champ' au loufiat, frappée à outrance.

Tiens, la dernière table libre est monopolisée par les quatre Anglais. J'adresse un sourire long comme un bandonéon déployé à Gwendoline, mais elle ne l'aperçoit pas

Torpeur bienfaisante. Le convoi ralentit pour se blottir une fois de plus sur une voie d'accueil. Un long moment s'écoule avant que ne surgisse un rapide d'enfer. Il secoue nos beaux wagons au passage. Son ouragan de bruit et de ferraille passe sur notre quiétude comme un stuka de la guerre de 39 sur une métairie normande. Sa vitesse le neutralise. On se remet doucement en branle.

Et puis voilà soudain qu'arrivent trois contrôleurs à la fois. Ils ont le kébour enfoncé au ras des sourcils, portent des lunettes qui font miroir et ont chacun une sacoche de cuir sur le bide.

Onc ne leur prêterait attention, si l'un d'eux ne se plantait à l'entrée ouest du wagon et ne se mettait à débiter, d'une voix forte et en anglais :

— *Ladies and gentlemen, your attention, please!*

Les convives cessent de claper. Les voilà tout ouïe. Alors le contrôleur extrait un pistolet gros comme ma bite de sa sacoche et déclare :

— C'est un hold-up ; je vous serais reconnaissant de garder votre calme.

Ses deux potes ont dégainé à leur tour et se mettent à faire la collecte, de table en table, en brandissant leurs sacoches béantes. Comme il est conseillé aux voyageurs de ne laisser ni bijoux ni valeurs dans les compartiments, tu parles si la ramasse est juteuse ! Ça se met à pleuvoir dru dans les escarcelles de cuir. Les voyageurs (et geuses) sont terrifiés et balancent plus abondamment que pour la Croix-Rouge ou le Sida ! Parfois, une dadame distraite oublie de larguer ses boucles d'oreilles, alors le « quêteur » lui chatouille le lobe du canon de son arme et la malheureuse s'empresse de réparer cette omission.

La chose se passe dans un parfait silence, à peine troublé par la marche du train. L'un des « contrôleurs » a fait entrer l'ensemble du personnel dans la cuisine et en a bloqué ensuite la lourde au moyen d'un coin d'acier. Opération bien préparée et parfaitement exécutée.

Voilà, c'est mon tour. Un membre du trio me tend sa fameuse sacoche déjà confortablement garnie. A ma pomme de vider mes fouilles.

En soupirant, je passe la main sur mon portefeuille, du moins fais-je-t-il semblant car, en réalité, c'est la crosse de mon pote tu-tues que je saisis à l'étage au-dessous.

Il m'arrive, parfois, de te relater certains de mes fesses d'armes, comme dit Béru. Je le fais toujours avec la plus grande honnêteté, soucieux d'exactitude et n'hésitant pas à mentionner mes bavures ou ratages quand il s'en produit. Mais là, mon action est un modèle du genre. Si un nœud volant japonais avait la bonne idée de le filmer, on passerait ensuite le document dans les écoles de police.

Mais bon, je te résume.

Premier temps, ma droite tire le flingue de son holster et l'abat en flugurance sur la tempe de l'hold-upeur, tandis que ma gauche lui arrache son feu. L'homme s'écroule, je freine sa chute de mon genou relevé pour éviter le bruit. N'ensute, j'ajuste la main armée du chef (ou présumé, je parle de celui qui a annoncé la couleur) et lui balance une bastos qui lui fait sauter le médius et l'annulaire (sans parler de son feu). Mais je ne suis pas homme à m'arrêter en si bon chemin. Me reste le troisième. Il vient de se retourner, surpris par la détonation.

— *Hands up!* je lui hurle.

Tu parles! Voilà ce con qui m'aligne. Heureusement, j'étais sur le qui-vive. Un quart de volte et ses valdas vandales massacrent la superbe applique tulipe Arts déco placée derrière moi.

Je lui riposte de deux prunes bien mûres dans chacune de ses deux épaules et le voilà transformé en otarie de cirque, sauf qu'il est infoutu de faire bravo!

— Allez délivrer le personnel en cuisine! lancé-je à mon pote le barbouilleur de génie. J'ai besoin d'aide pour faire le ménage!

Il y court.

Arrivée des serveurs ritaux, tout joyces de voir que la conjoncture se représente sous les hospices de Beaune. Ils m'aident à regrouper mes trois éclopés dans un angle du wagon, vitement libéré par les convives. Les trois pourris n'en mènent pas largif : les blessés par balle geignent, mon assommé râle. Mes potes du service trouvent des liens pour ligoter ces durs devenus mous.

On va bientôt arriver à Salzbourg où la police autrichienne leur organisera un grand festival Mozart rien que pour eux, avec grand renfort d'instruments à percussion.

A bord, c'est la liesse. Le maître d'hôtel procède à la restitution du butin, aidé d'un vrai contrôleur surgi opinément.

On me gratule, me bisouille, me papouille; une belle dame comprimée dans du Chanel m'étreint et me bouche-que-veux-tu d'avoir pu récupérer son collier de chienne or et émeraudes. Elle s'astique le pubis de Dechavanne contre ma cuisse en m'exhortant comme quoi je suis un merveilleux darlinge. Pas de la première fraîcheur : elle a commencé les matches retour et les années à domicile comptent double, hélas. Mais dans la touffeur de l'été, tu y regardes moins à deux fois.

Ma prouesse me promeut héros à part entière de l'Orient-Express.

Et on arrive à Salzbourg. La police prévenue radine. Explications, témoignages. Comme j'ai tiré sur les malfrats on veut que je descende pour les formalités. Très peu pour ma pomme; tout ce que je déteste dans mon métier : les rapports (je n'aime que les rapports sexuels).

La discussion se fait âpre. Qu'à la fin, je prends à part l'inspecteur Ankulmayer, lui produis mes documents de chef de la police française et lui confie que je suis à bord pour assurer la protection d'un homme d'État de premier plan voyageant en coquelicot (Béru dixit). J'ajoute que je suis un intime d'Otto Khar, le ministre de l'Intérieur autrichien, et qu'il n'a pas de souci à se faire : je recevrai à Paris une commission rogatoire (que Bérurier nomme commission rogaton, voire, parfois : commission arrogante) qui recueillera ma déposition.

Tout baigne. On embarque les écumeurs de train et celui-ci repart en direction de Vienne.

J'échappe de mon mieux à la reconnaissance admirative des populations ferroviaires et vais me réfugier dans ma cabine. Tu sais pourquoi? Quelque chose me turluqueute depuis l'intervention des trois pillards. Quelque chose de troublant dont je veux avoir le cœur net.

En portant la main à ma veste, tout à l'heure, feignant de prendre mon larfouillet, mais bichant en réalité mon ribousin, j'ai senti la présence dans ma fouille d'un objet inconnu. L'action primait, je ne me suis pas attardé, me promettant subconsciemment de revenir sur cette énigme.

A l'abri des regards indiscrets, j'ôte mon veston et l'ouvre sur le canapé.

Mon crapaud est là, impec : croco avec coins en or (un cadeau de ma Félicie au dernier Noël). Mais, derrière cet étui à flouze, s'en trouve un second, extra-plat, en cuir bordeaux qui ressemble à celui d'un petit peigne de fouille.

A l'intérieur, se trouve une plaquette de métal de dix centimètres sur trois, percée de trous. Ceux-ci sont ronds, carrés ou triangulaires et disposés irrégulièrement. Il y en a neuf en tout.

J'examine longuement cette chose sans parvenir à lui trouver une signification. Elle est en acier flexible et ne comporte aucune inscription.

Qui a glissé cette plaque dans ma poche ? Le steward de cabine ? Un voyageur en me croisant dans le couloir ? On est souvent obligé de se frotter le bide pour passer.

Au bout d'un instant de noble méditance, je fourre l'objet sous la doublure de ma valise Vuitton, après y avoir pratiqué une encoche, me promettant d'y revenir plus tard.

VENDREDI

VIENNE, 18 H 16

On reste un bon moment en gare de Vienne. A peine nous sommes-t-on arrêtés qu'une délégation de la Sûreté vient me visiter, sous la conduite du chef de train. Deux messieurs relativement sympas, en manteaux longs évoquant la belle époque de la gestape et feutres à larges bords d'ailes[1]. Eux aussi souhaiteraient me faire descendre pour que j'aille leur raconter ma vie aventureuse dans un bureau bien chauffé, mais je les envoie fermement aux bains turcs (nous sommes dans la bonne direction pour nous y rendre). J'invoque des noms, je me prévaux (d'armes) de ma fonction, mentionnne les relations diplomatiques franco-autrichiennes, tout ça bien, qu'enfin, ils me lâchent les baskets à leur tour, et qu'ouf ! me revoici peinard.

Mais ma tranquillité est de courte durée. Re-toc-toc ! Entrez ! Une délégation de voyageurs, conduite par la dame en blanc qui m'effusionnait naguère, est là, bouches en issue d'œufs, qui m'apportent un cadeau pour me montrer leur gratitude. Il s'agit de deux cravates et d'un superbe album consacré à l'Orient-Express achetés au wagon-boutique.

Il est infréquent, de nos jours, que tes contemporains

1. Excellent jeu de mots, intraduisible en autrichien.

extirpent trois balles de leur poche pour t'exprimer leur reconnaissance. Ému, j'accepte les présents, serre les louches, dis ma vive émotion, et la troupe se retire, me laissant la dame en blanc sur les côtelettes fumées.

M'apercevant de son incrustation, je prends chaud aux plumes. Va me falloir manœuvrer à vue pour m'arracher cet emplâtre. Si j'arrive à soustraire ma virginité à la convoitise de la personne, c'est que mon ange gardien est en train de faire des heures supplémentaires.

Elle commence par me demander qui je suis pour jouer les Buffalo-Bill avec une telle maestria. Je lui avoue être policier. Elle veut savoir si j'ai subi l'entraînement des *marines*. Je l'assure que, bien davantage. Oh! mon Dieu, les biceps que je dois avoir! Elle peut toucher ? J'arrondis le bras comme pour la conduire à l'autel, ou à l'hôtel. Du biceps, sa dextre va à mon mollet; passant d'un muscle à l'autre, elle remonte naturellement vers mes régions fortifiées. Le moment de la décision est arrivé. Soit je la fais lâcher prise, soit je la laisse perpétrer ses voies de fait. Le hic, à bord de ce train de plaisance, c'est que je ne puis arguer d'un rendez-vous chez mon dentiste.

— Douce amie, lui dis-je, je crains que vous ne me fassiez perdre la tête, ce qui serait fâcheux pour votre réputation.

Elle me répond que sa réputation, elle en a rien à secouer et que, femme d'un élan, elle laisse aller l'amble à sa passion. Mon héroïsme l'a subjuguée; j'étais tellement irrésistible avec ces revolvers fumants dans les mains! Si grand, si noble qu'elle en trempait sa culotte, elle ose le dire! Je suis un chevalier des temps anciens revenu sur Terre! Ma détermination, mon courage m'éclairaient de l'intérieur, kif un tube de néon dans une statue de verre!

Pouf! Mine de rien, elle me chinoise Popaul, comme

les braconniers pêchant à la main les belles truites saumonées de rivière en leur caressant le ventre avant de planter leurs ongles dans leurs ouïes.

Elle sent très fort un parfum dont le roi d'Arabie ne pourrait même pas s'offrir un baril, tellement qu'il est chérot, mais qui ne t'en zingue pas moins l'olfactif. En admettant qu'elle eût été mariée, Ninette, ses mecs ont dû périr d'asthme.

Moi qui suis un homme de bonne volonté, doublé d'un homme affable et triplé d'un homme à femmes, je ne me sens pas le courage de céder mon antenne télescopique à la goulue.

Au moment où elle s'en prend à la tirette de ma fermeture Éclair de chasteté, j'interviens à la désespérée.

— Madame, lui dis-je gravement, parvenu à ce degré d'intimité, il me faut vous faire une cruelle confidence. Hélas ! lors d'une bataille rangée avec des gangsters, j'ai pris dans les parties une balle inepte qui m'a rendu inapte à l'amour. Tout ce que vous sortiriez de ce pantalon de chez Cerruti, ce serait un misérable brise-jet, flasque comme un gant perdu, dont la vue vous peinerait. Depuis cette balle fatale, madame, je n'ai plus de dur que mes dents et mes muscles, sans parler de mes os, naturellement.

« C'eût été avec un indicible bonheur, jadis, que je vous eusse laissé prodiguer à mon pénis des caresses qui l'auraient transformé en phallus. Vous auriez pu alors, mais à grand mal, certes, l'héberger dans votre bouche divine, pour, en fin de compte, l'accueillir en ce puits d'amour que le Créateur vous a accordé. Hélas ! ma malheureuse destinée a rendu un tel rêve inaccessible. Je répugne à faire une pareille confidence à une ravissante femme comme vous, mais le moyen de vous berner ? »

Anéantie, désorientée, la chatte meurtrie par l'intensité de la désillusion, elle balbutie :

— Mais cependant, en la caressant, il m'avait semblé qu'elle était très épanouie?

— La gaine, madame! La gaine protectrice...

— Ne pourrait-on essayer avec ce... cet étui?

— Voyons, madame, vous savez bien que dans la gaine il n'y a pas de plaisir! Vous n'êtes pas femme à vous satisfaire de louches prothèses, ni même de bananes vertes! Prenez-en votre parti, à défaut des miennes.

Elle opine (mais juste de la tête), et il m'est aisé, dès lors, de l'expulser en douceur de mon compartiment.

Et le train repart. Dans le jour déclinant, le Donau (Danube) miroite. Il est quelque peu en crue et ses eaux, moins bleues que dans Strauss, ont une couleur sombre, un peu marronnasse, mais éclairées de fulgurances argentées.

Accoudé à la main courante, je me repais du paysage. C'est partout pareil : Danube ou Pyramides, Promenade des Rosbifs ou pont de Brooklyn, tu captes, tu captes. Tu crois emmagasiner toutes ces images, ces sensations, toutes ces émotions, mais très vite il ne te reste plus dans le souvenir qu'une barbe à papa terne et silencieuse que tu as du mal à préserver et qui meurt de ton présent impitoyable.

Je louche en direction des « cabines » de la famille anglaise. Ils ont la marotte de laisser leurs portes ouvertes; pour se sentir moins à l'exigu, je gage?

Maman et papa jouent aux cartes; les deux fifilles lisent. Je me racle la gorge pour solliciter leur attention. Gwendoline et Dorothy lèvent les yeux. Si mon baiser a fait se pâmer la première, mon exploit n'a pas amadoué la seconde qui me grève d'un regard vérolé. Ça, tu vois, c'est de la garce anglaise pur choix : la pire de toutes, et je m'y connais. Tu ne peux pas savoir combien elles peuvent se montrer fumières, les Britiches.

Aigres comme la bise d'automne sur leur Tamise à la con. Te frigorifient l'âme. Heureusement qu'il en est d'accomplies, des chouettos comme la *sister*. Cette dernière, en m'aspergeant, a grande envie de se lever, mais la présence de sa duègne Carabosse l'en empêche. C'est marrant que l'aînée soit dominée par la cadette simplement parce qu'elle est moche et méchante. Je me fends d'une œillade à cent degrés, capable de tordre les petites cuillers en pas de vis. Dans cette intense œillée, il y a du commandement mâtiné d'hypnose. Elle veut dire : « Viens me rejoindre, ma belle, ne te laisse pas intimider par cette petite mocheté qui a du jus de citron dans les veines et dont le foie sécrète du vinaigre d'alcool ».

Magique ! Je subjugue, mec, faut que tu le susses. A preuve : Miss Gwendoline dépose son *book* à côté de sa fesse droite, tire sur sa jupe de tweed et se dresse. Je me suis retiré du champ de vision des Rosbifs pour échapper à toutes scrutations désagréables.

La môme vient tout près. Je fais glisser ma main droite sur ma manche gauche pour aller cueillir sa mignonne pattoune. Me sens de plus en plus chaste. Curieux : je suis « convoité » par deux femmes simultanément. J'en décourage volontairement une et n'ose chambrer l'autre, ça fait pas le blaud du gros Julot qui se met à me frétiller dans le kangourou, comme un qu'est dans le noir et ne trouve plus la sortie.

— J'aimerais tellement vous revoir, murmuré-je d'un ton à ce point sucré qu'il filerait du diabète à une morue séchée. Où descendez-vous, à Budapest ?

— Au *Hilton*.

— Dieu soit loué, moi aussi ! Nous trouverons bien le moyen de nous rencontrer, voire de passer un moment ensemble. Il lui arrive de dormir, à votre gardienne ?

Elle sourit.

— Évidemment.

Puis, vite elle ajoute, non sans regret :

— Elle a le sommeil très léger.

J'exerce sur sa main une poussée de bas en haut égale au poids du liquide déplacé.

— Aucune importance, Gwendoline, j'ai pour les insomniaques un remède merveilleux.

Et de farfouiller dans la poche-briquet de mon veston.

— Ouvrez votre main !

Elle.

J'y dépose une minuscule ampoule de verre contenant un liquide jaune.

— Laissez-la se rendre la première à la salle de bains. Quand elle en aura terminé et qu'elle se couchera, avant de vous rendre à votre tour dans la salle d'eau, vous écraserez cette ampoule sur le plancher. Ce qui s'en dégagera est tout à fait inoffensif, je vous en donne ma parole, mais assurera à votre sœur un sommeil profond pendant un couple d'heures. Profitez-en pour me rejoindre ; dès que je le connaîtrai, j'inscrirai le numéro de ma chambre sur une minuscule étiquette que je collerai dans l'ascenseur de l'hôtel.

Elle a arrondi ses épaules, accablée par ce que je lui demande. Ah ! c'est pas une aventurière, Gwendoline.

Ma main presse la sienne qui détient l'ampoule. Je me grise de son odeur de jouvencelle. Parfois, elle me confie son doux regard et je me sens ému jusqu'au chagrin, comme si elle appartenait à un univers où je ne pourrais jamais pénétrer.

Sans nous en rendre compte, nous barrons le passage à un voyageur de haute stature.

— Je vous prie de m'excuser, murmure l'intrus.

Il a une odeur forte qui m'est familière : un *Black* ! Et puis cette voix grave...

O.K., c'est bel et bien M. Blanc.

Ses boules de loto m'intiment de l'oublier. On se

presse contre la paroi pour le laisser passer. Je sens que mon pote glisse quelque chose dans ma poche.

Ça y est : il est passé et suit sa route dans le couloir ; au bout du wagon, il se rend dans la voiture suivante.

Dis, il a pas traîné pour venir à la rescousse, le Suédois ! Il est vrai qu'il faut beaucoup moins de temps en avion pour parcourir la distance Paris-Vienne, qu'en Orient-Express pour franchir Insbruck-Vienne.

J'arrache à ma douce conquête la promesse d'une visite nocturne.

— Ce n'est pas très correct, balbutie-t-elle.

— Sans doute, admets-je, mais l'essentiel est que je le sois, moi ! Vous n'avez pas confiance ?

Oh ! ce regard extasié, résigné, même !

— Si ! solfège-t-elle.

VENDREDI

HONGRIE, 20 H 40

Quel voÿage!

Et moi qui croyais fermement que j'allais tirer ma flemme à bord de ce train de légende!

Tu te rends compte de tout ce qui s'est passé depuis hier soir? En quelque vingt-trois heures à peine, j'ai découvert que la fausse baronne Van Trickhül était la vraie et voilà qu'on la kidnappe à un mètre de moi! Béru s'escamote aussitôt après. Trois pilleurs de train exécutent un hold-up à bord et je les neutralise. Quelqu'un glisse dans mes fringues un objet mystérieux. Enfin le cher Jérémie Blanc lâche la Grande Cabane pour me voler à l'aide!

Pour la énième fois, je relis le message qu'il m'a mis en fouille (décidément, on me prend pour une boîte aux lettres dans ce train!).

C'est écrit, de sa belle écriture de docteur ès lettres :

Sois TRÈS vigilant : tu as toute une équipe aux fesses! On ne se connaît pas; je te couvre.

Ayant appris ce court texte par cœur, je le confettise et le lâche de ma fenêtre au vent mauvais qui l'emporte.

Après quoi, je « fais » ma valoche en vue de l'arrivée imminente.

Putain de lui! Dans quelle sale béchamel ce con de

Buton-Debraghette, big boss de la police belge, m'a-t-il fourré ?

Franchement, j'aime pas ce cirque. Il ressemble à rien. Ce serait glandu de se laisser mettre en l'air sans seulement comprendre de quoi il retourne !

Dans le fond, j'ai bien fait de lui niquer sa grande fille, à Nicolas Buton-Debraghette. Faut dire qu'elle y a mis du sien, la gredine ! Le jour où j'ai bouffé chez eux, à Bruxelles, en compagnie du père Achille, elle était à ma gauche. Avant la fin des hors-d'œuvre, son pied dénudé me remontait le bénouse jusqu'au siège de l'amour-propre.

Au rôti, elle m'avait sorti le popof sous sa serviette et me tapait un caramel de première. Oh ! la dextère qu'il y avait là ! Je suis parti à dame sur le Chiraz de ses parents sans cesser de parler d'Interpol ; je te recommande ! Ça facilite les échanges !

Elle a voulu savoir où je créchais et, en pleine nuit, est venue me rejoindre à *L'Amigo* où je te lui ai interprété une fête vénitienne digne des doges (et d'éloges).

Ne l'ai jamais revue, cette frénétique, ni n'ai osé demander de ses nouvelles à papa. La manière dont elle m'avait effeuillé le coquelicot au souper, me donnait à craindre que notre collègue ait eu la puce à l'oreille ! D'autant qu'elle devait être costumière de la fête (comme dit Bérurier), et s'occuper du bonheur des invités mâles placés près d'elle. Le Chiraz, ma doué ! Ces cartes de Belgique qu'il a dû morfler ! On ne devait plus pouvoir le rouler ; à la longue, l'était devenu en zinc.

Le chef de train se met à dégoiser comme quoi ça y est, on arrive à Budapest, capitale martyre d'une nation martyre.

Moi j'aime bien les Hongrois ; leur langue ne ressemble pas aux autres, leurs gueules non plus. Ils ont le malheur dans le sang et tous leurs monuments sont néo-quelque chose ; néo, toujours, tellement que les guerres et les révolutions les ont sempiternellement rasés, même les habitants, je crois bien, sont « néo-hongrois ».

VENDREDI

Budapest, 23 h 50

Le chauffeur qui parle couramment le hongrois, mais très mal l'anglais et pas du tout le français, m'annonce, montrant une immense construction hérissée de flèches dentelées, au bord du Danube :

— Parlement !

Il ajoute :

— Néo-gothique.

Je tente de lui marquer mon admiration par un mot bien senti, voire une onomatopée encourageante, mais comme je trouve la chose à chier, je conserve un mutisme figue-raisin qui peut lui donner à croire que je suis jaloux de cet édifice.

Par contre, superbe est le Danube dans sa traversée de la capitale. Il unit Pest et Buda au lieu de les séparer. Des bateaux illuminés donnent un air de fête à cette prestigieuse voie navigable ; l'un d'eux a été aménagé en casino. Depuis la chute du communisme, ce genre de boîte se multiplie en Hongrie, comme si les autochtones, privés longtemps de liberté, voulaient absolument se défouler, s'étourdir, oublier les tracasseries sanglantes du passé.

Le taxoche que j'ai affrété ressemble à la poubelle où l'on jette les cotons souillés dans les dispensaires de la brousse africaine. Il pue les pieds pas nets, le tabac froid, la bouffetance sûrie, les menstrues mal gérées, les pets en suspension, le caoutchouc mouillé, le paprika répandu, le cul, le con, la bite, la rose trémière, plus d'autres remugles difficiles à identifier pour l'étranger. Malgré sa vétusté, le sapin grimpe vaillamment à l'assaut de la colline où se dresse l'église Mathias, laquelle jouxte le plus bel *Hilton* d'Europe. L'hôtel a intégré des vestiges du XIIIe. Ce devrait être hybride mais, curieusement, le bâtiment moderne n'insulte pas le passé ; au contraire, c'est ce dernier qui lui confère une allure prestigieuse.

Avant de quitter Pantruche, je me suis muni de dollars et tu ne peux te figurer à quel point ces rectangles de papier verdâtre sont appréciés aux quatre coins de la planète. Ici, par exemple, le forint, la monnaie nationale, n'est pas mieux considéré que du papier chiotte ayant accompli sa mission. Par contre, montre-leur la gueule constipée de Washington et tu vois se former des auréoles à l'emplacement de leurs braguettes.

— Vous êtes seul ? s'étonne le préposé à la réception. Nous avons retenu la chambre contiguë au nom de M. Bérurier.

— Il a eu une crise d'appendicite dans le train et a dû descendre à Innsbruck.

On me virgule la chambre 426. Un bagagiste à frime de tzigane heureux m'y conduit. Dans l'ascenseur, je détache d'un carnet de timbres (j'en ai toujours sur moi) un morceau de frange blanche, j'écris « 426 » dessus et, à l'insu du larbin, colle le petit morcif de papzingue sur un panneau de la cabine.

Ma carrée est superbe, vaste, avec un recoin salon, un dressing et une salle de bains où Schwarzenegger pourrait pratiquer sa culture physique sans se cogner les coudes.

En deux temps trois mouvements, j'ai défait ma

valoche, accroché mes harnais de rechange dans la penderie conçue pour en héberger cent fois plus, rangé mes chemises, chaussettes et calcifs dans le tiroir du haut de la commode et me suis servi un whisky-Coca, grâce au petit réfrigérateur installé dans ma piaule.

Machinalement, je branche la télé mais, me rendant compte qu'il est trop tard pour que j'apprenne le hongrois avant la fin des émissions, la referme aussitôt. D'un double mouvement expert des pieds, je largue mes mocassins et allonge mes jambes. Posture de réelle détente, idéale pour gamberger ou se faire faire une pipe.

Me reste plus que d'attendre.

Qui ? Quoi ? Je l'ignore.

Comme j'ignore à la vérité pourquoi, malgré la disparition de mémère Van Trickhül, je me suis obstiné à terminer le voyage. J'agis si souvent d'instinct... Par impulsions inanalysables... Des foucades d'être têtu qui prétend toujours dompter le sort, plier les circonstances à sa volonté.

J'ai achevé le parcours « pour voir ». Des ondes mystérieuses s'entrecroisent dans cette bizarre aventure ; faut se mettre à panard d'œuvre pour les démêler. Elles proviennent d'ailleurs de très loin ; d'une autre planète ?

Mon whisky-Coke m'ayant donné soif, j'en prends un second, mais sans coca. Me l'étant entubé, je sens qu'un sommeil de bon aloi vient me renifler les paupières. Tu vois pas que j'en écrase au moment où la petite Gwendoline se pointera ? Car je suis convaincu de sa visite.

Le ronfleur retentit, qui me fait tressaillir. Est-ce la gosseline qui se décommande ?

La voix de M'siou Blanc, calme, nette, parfaitement articulée :

— Par mesure de précaution, je t'appelle d'une cabine publique. Plusieurs choses importantes à te dire.

— Envoie !

— Berthe n'est plus à la clinique de Knock-Hout ; elle l'a quittée presque en même temps que la baronne : une voiture est venue la chercher. On ignore tout de sa destination.

Je reste calme, maître de la situation.

— Ensuite ?

— Les premières recherches concernant la Van Trickhül débarquée de l'Orient-Express en cours de route n'ont rien donné.

— C'est tout ?

— Ton homologue belge a appris de source qu'il prétend digne de foi, que tu as été démasqué dès Paris et qu'une équipe est sur ton dos.

— Équipe de quoi ? De foot ?

— Ne te marre pas, grand, je sens que c'est pas bon.

— Que me veut-on, Noirpiot ? Je devais surveiller la vieille Belgium et malgré ma vigilance on l'a secouée à un pas et demi de moi ; dès lors quel danger représenté-je ?

— Ton confrère n'a pas précisé.

— Je vais l'appeler.

— Surtout n'en fais rien ; il craint qu'il y ait des fuites dans son entourage et demande que tu cesses provisoirement tout contact avec lui.

— C'est complet ! Et toi, que comptes-tu faire, chère loque Holmes ?

— Descendre au *Hilton* et te surveiller.

— Merci, monseigneur. As-tu entendu parler du peintre Cédric Demongeard ?

— Celui des gros fantômes ?

— En personne ; il se trouve ici. Comme il est l'amant de Lady Chatterley, surveille-le également.

— Je n'ai pas le don d'ubiquité !

— Fais comme si. Un sorcier de ton bled ne peut pas te dédoubler à distance ? Ton beau-père, par exemple ?

— Il est justement en vacances chez nous, je vais lui téléphoner, répond Jérémie sans rire.

Mais peut-être dit-il ça sérieusement ?

SAMEDI

BUDAPEST, 0 H 30

Une pure jeune fille qui frappe à la porte d'un homme ne s'y prend pas de la même manière qu'une gonzesse chevronnée du bidule. La seconde toque carrément, la première grattouille doucement, comme si, paradoxalement, elle craignait qu'on l'entende.

J'ouvre à Gwendoline. Exquise dans un pyjama de soie bleue à ramages verts. Par-dessus, elle a passé une robe de chambre trouvée dans sa salle de bains et portant le « H » du *Hilton* dans le dos, pareil à une élégante guillotine. Elle a des savates British Airways aux pinceaux, preuve que l'on se déplace volontiers dans sa famille. Elle grelotte de frousse à se trouver ainsi, seulâbre, dans la carrée d'un matou.

— Dorothy fait un gros dodo ? m'enquiers-je.

Elle acquiesce.

— J'ai honte d'avoir agi ainsi. Vous êtes sûr que ça ne peut pas lui faire de mal ?

— Si je n'en étais pas certain, croyez-vous que je vous aurais remis cette ampoule ?

Je lui désigne un fauteuil qu'elle accepte après s'être étroitement drapée dans le peignoir.

— Qui êtes-vous ? demande-t-elle d'un ton implorant.

Pour la rassurer pleinement, je lui produis mon éternelle carte estampillée par la Maison France. Son visage s'éclaire au néon et une immense confiance brille sur son beau visage de madone anglicane.

— J'enquête à propos de bandits internationaux qui se trouvaient dans l'Orient-Express, ajouté-je-t-il.

— Ceux que vous avez désarmés et remis à la police autrichienne ?

— Oh ! non, ceux-là sont des pilleurs de train sans grande envergure ; j'en traque de beaucoup plus importants. Accepteriez-vous de m'aider, Gwendoline ?

— Bien sûr ! Que faut-il faire ? spontane-t-elle.

Adorable fillette, prête aux offrandes extrêmes. Tu sais qu'en deux heures de lutinage efficace, je la rends femme pour le restant de ses jours ?

— Fort simple, la rassuré-je : vous téléphonez à la réception. Vous dites que vous êtes la dame de compagnie de la baronne Van Trickhül qui a retenu une suite au *Hilton*. Une affaire de dernière minute l'a obligée d'annuler son voyage, mais elle arrivera par avion demain ou après-demain au plus tard. Si quelqu'un vient la demander dans l'intervalle, qu'on le dirige sur la chambre 426. Vous avez tout compris ? Tout retenu ?

Elle sourit.

— Ça n'a rien de difficile.

La voilà qui tape les deux chiffres de la réception et qui se met à jacter dans ce beau dialecte dont usa Shakespeare pour écrire des pièces qu'on joue encore aujourd'hui.

Je n'entends pas ce que lui répond le préposé, toujours est-ce qu'elle semble perdre pied, Gwendoline.

Elle, lâche des « Vraiment ? », des « Alors il y a eu une confusion », et d'autres bribes de ce genre qui, toutes, marquent l'étonnement.

— Problèmes ? questionné-je lorsqu'elle repose le combiné sur sa fourche.

Elle blablabutie :

— La baronne se trouve à l'hôtel, dans la chambre qu'elle avait réservée...

Oh ! cette abasourdissance ! Sûr que mes couilles vont tomber de l'arbre comme des melons trop mûrs !

— La baronne... Dans sa chambre ! répété-je avec la conviction que j'ai vraiment et totalement l'air d'un con, voire d'un con qui aurait déjà un pied dans le gâtisme et l'autre dans le ramollissement cérébral.

La baronne... Ici !

— Cela semble vous confondre ? remarque-t-elle avec discernement.

— C'est-à-dire que...

Je flotte dans la mouvance de l'abbé Soury, cet ecclésiastique bienveillant qui a tant et tant œuvré pour les règles douloureuses de nos chères compagnes. Me trouve dans l'état « comme ma queue » dont parle Béru dans sa thèse sur la date limite de conservation du beaujolais.

Pour une drôle d'affaire, c'est une drôle d'affaire ! Le palais des miroirs. Un coup je te vois plus, un coup je te vois dix !

Je rebiche le turlu et réclame M. Jérémie Blanc. On me répond que, précisément il s'apprête à sortir de l'hôtel. Bon, qu'on le hèle ! Il vient répondre, morose parce que je commets une imprudence (selon *him*) en le demandant ouvertement.

Sans préambule (de savon), je place le bébé dans ses bras :

— La réception prétend que la baronne est dans sa chambre. Tu vois ça et tu me fais signe !

Je raccroche, soudain détendu.

— Vous commandez sec ! remarque Gwendoline.

— Tous les vrais chefs ! réponds-je en m'asseyant sur un accoudoir de son fauteuil.

Plus fort que moi : ma foutue main salopiote se glisse par l'échancrure de son pyjama.

Opff ! Je sais pas sur lequel des deux m'attarder ! C'est tout bon : ferme, tiède, velouté. T'en as une pleine poignée de brave homme, avec le cabochon dressé, siouplaît !

Comme la lumière du lampadaire pourrait la gêner, j'entortille le fil à la pointe de mon soulier et tire un coup sec. Black-out ! Subsiste la ceinture de lumière festonnant à l'extérieur, mais c'est de la clarté au second degré, ça. Qui ajoute au contraire à la félicité du moment.

L'Antoine glisse de son perchoir pour s'agenouiller « devant » Gwendoline d'abord, puis « entre ». Dis, elle ignorait que c'était fameux à l'extrême de se faire lécher les bouts de seins puis caresser le raminagrobis avec les deux doigts du sifflet voyou.

Ce qu'elle trémousse dard-dard de la valve, Chiffonnette ! Oh ! que c'est bon quand tu découvres la chose. Après aussi mais t'as plus l'effet de surprise.

Tout de même, entre deux soupirs, elle parvient à balbutier :

— Oh ! non : vous m'aviez promis...

Bien sûr que je t'ai promis, mon bijou, mais que veux-tu : l'instant fait le larron (pas le lardon, j'espère !). Les résolutions d'un homme ne pèsent pas lourd quand la digue le chope, Charlotte ! Tu reconnais au moins que c'est de *first quality*, non ? Réponds franchement : t'as envie de résister, toi ? Me fais pas croire ça : j'ai le médius et l'index qui viennent de s'engager dans la Légion étrangère, sans te parler de l'annulaire qui dit déjà au revoir à son petit frère pour aller les rejoindre ! Et ce baiser caméléonesque, t'en penses quoi, la Miss ? Pas tristounet, hein ?

Tu sens comme elle balaie large, la menteuse du mec ? Ça y est : les trois frères Karamazov sont maintenant en place ; du coup, y a le minot qui part jouer sa petite partition dans ton père fouettard ! C'est aimable comme accompagnement, non ? Toujours bon à prendre au passage !

Ça ne fait de tort à personne, ma poule. Regimbe pas, tu briserais le charme. Non, on se calme spontanément. Qu'est-ce que tu dis ? Ah ! que tu me loves ? Mais j'en ai autant à ton service, chérie, nous deux, pour au moins vingt minutes, ça va être le *very big* amour : Roméo et Juliette, Paul et Virginie, Laurel et Hardy ! Qu'est-ce que tu crois ? Et dis : t'as vu le mandrin de l'homme avec son beau bonnet de plongée ? On la croirait d'amarrage, ma bite, non ? Tu vas voir comme, malgré tout, ils vont bien s'entendre, ton fruit fendu défendu et mister Laurence d'Arabite, sans le concours d'anabolisants, parole !

Je suis tout à mon vertige. Et au sien !

J'entends pas qu'on frappe à ma porte, ne m'aperçois pas qu'on l'ouvre, ni qu'une main tâtonneuse cherche, trouve et actionne le commutateur. Lumière, *luce, light* ! A plein chapeau ! Et qui vois-je-t-il, dans l'encadrure de la lourde ? La dame dévorante du train à qui j'ai dû faire croire que j'étais impuissant pour me débarrasser d'elle !

Ce qu'elle voit, d'entrée de jeu, c'est mon somptueux braque dodelineur qui lui fait « bonjour bonjour » de la tête.

— Je le savais ! s'étrangle-t-elle.

Une qu'apprécie pas, c'est la Gwendoline de mes amours ! D'une cabriole, elle rend mes quatre doigts mobilisés sur son intimité à des tâches plus domestiques et se sauve en gémissant de confusion. Pauvrette dont l'innocence est saccagée à la fleur de l'âge ! Quel con fus-je de ne pas avoir mis le verrou, bordel à cul !

Ma noctambule visiteuse, très maîtresse d'elle-même avant que de l'être de moi, lourde consciencieusement et hermétiquement. Puis s'avance sur moi d'une allure déterminée, comme Cléôpatre s'avançait vers la trique impériale de César.

J'hébète, que veux-tu. Mais dans le fond, me dis qu'avec ce bâton à un bout, mieux vaut se décaraméliser avec une solide radasse qu'avec une nymphe pucelle.

Et la chose s'accomplit, puisqu'elle était inéluctable.

La gaillarde me pousse dans le fauteuil à la place qu'occupait Gwendoline et entreprend de me gloutonner le Pollux à pleines lèvres (qu'elle a charnues), en émettant ces grognements satisfaits qui sont également ceux d'un chien trouvant sa gamelle pleine au retour de la chasse. Cette première figure n'est que le préambule de beaucoup d'autres. L'ogresse vit pour l'amour, s'en repaît avec la frénésie que donne la perspective d'une prochaine cessation provoquée par la limite d'âge. Feux de la Saint-Jean, chant du cygne, les expressions abondent pour qualifier cette mélancolique situation.

En tout cas, la mère y va à la manœuvre en grande guerrière. Elle exécute toutes les passes d'armes encore envisageables malgré son début d'arthrite et les frasques d'une vieille ménopause à épisodes. Je ne vais pas me complaire dans une nomenclature qui deviendrait vite fastidieuse. Sache seulement que nous pratiquons « un complet » doublé d'un « sans-faute ». Elle a de la tenue, de l'assiette, une énergie et une fougue stupéfiantes ; une science du cul qui lui vaudrait le Prix Nobel d'empaffage.

Une demi-heure qu'on s'escrime avec application, assurant nos coups de reins, attentifs au rythme, respirant scientifiquement et pas du tout à la va-comme-je-renifle. Un art, tout ça, mon biquet. Tout s'apprend. C'est en forgeant qu'on devient forgeron et en baisant qu'on devient baiseron.

Enfin, se dessine l'instant de la délivrance, chantée par la manécanterie de Notre-Dame. Bientôt Noël ! On se concentre, d'accord commun, pour le grand galop du déboulé final. Et voilà que, merde ! la sonnerie du bigophone retentit !

— Laisse ! laisse ! supplie ma gorgone.

Impossible. Moi, le turlu c'est l'ennemi public numéro un de mon chipolata. A la troisième sonnerie, mon joufflu commence à perdre de la valve. A la sixième, il se met en chien de fusil.

— Pardon ! déculé-je.

Je tends la main vers le bigophone.

La vioque, laissée en rideau au moment où elle déployait son aile delta, proteste en s'astiquant l'échoppe comme une furie.

— J'écoute ! lâché-je.

Jérémie :

— Grabuge.

— Grave ?

— Irréversible.

— Où ?

— Chambre 608.

— J'y vais.

— Vaut mieux pas ; ou alors passe to-ta-le-ment inaperçu.

Il raccroche.

Je regarde pendre ma pauvre chère queue, il y a un instant si glorieuse.

On est peu de chose, l'homme. Vite en déroute ; que dis-je : en débandade ! Un braque pareil, sculpté dans du buis, fier et dominateur ! Ben tu vois : ne reste plus qu'un paquet de couenne. Faudrait tout reprendre à zéro : fellation, caresses longitudinales, enfin toute la panoplie des premiers secours aux noyés, quoi ! Je n'en ai ni le courage ni l'envie.

— Il faut que je sorte ! annoncé-je à ma partenaire.

Elle m'apostrophe durement :

— Non, mais sans blague, vous n'allez pas me laisser repartir comme ça !

Pour m'intimider, elle s'agite la moulasse et tu dirais un bataillon du génie traversant un marécage.

— J'irai vous retrouver plus tard, ça n'en sera que meilleur. L'amour, c'est comme la choucroute : plus on le réchauffe, meilleur il est.

Elle se lève et remet sa robe de chambre pour reine de carnaval.

Elle murmure :

— Je m'appelle Denise Mordanlhame, je suis au 610.

Elle m'accable d'un regard de vache inséminée artificiellement.

Et moi, dans ma pensarde : « le 610 est contigu au 608, Tonio ».

Je vais cueillir discrètement mon sésame.

— Je vous accompagne, fais-je, nous serons mieux chez vous, puisque ici je suis harcelé par le téléphone.

— Vouiiiii ! dit-elle en plaçant la main devant sa chatte qui bâille.

SAMEDI

BUDAPEST, 1 H 15

Elle m'emmène triomphalement dans son domaine tarifé, avec la fierté du coureur de formule 1 accomplissant un tour d'honneur après la victoire. Tout juste qu'elle salue pas de la main les larbins de nuit croisés dans les couloirs.

Une fois dans sa carrée qui pue le parfum surabondant (elles masquent leur ranceur sous des flots de Chanel), je craque discrétos l'une de mes minuscules ampoules et lui demande la permission d'aller me refaire un rafraîchissement dans sa salle de bains. Elle me l'accorde (à violon), et quand je reviens de toiletter Coquette, la belle plâtreuse gît en travers de son lit, une jambe au sol, troussée et ronflante comme le vent dans une cheminée bretonne.

Les palaces sont équipés de telle sorte que plusieurs chambres peuvent communiquer entre elles si l'on débloque les portes intercalaires. Je m'attaque à celle donnant accès à la turne 608. Ma redoutance est qu'elle soit pourvue d'un loquet, mais comme elle n'en comporte pas côté 610, y a pas de raison qu'il en aille différemment de l'autre côté.

Bien vu !

Ça se déponne comme une braguette de *gay* dans une boîte de San Francisco. Heureusement, car, travaillant sans respirer, je n'avais pas lerchouille d'autonomie.

La chambre voisine est ténébreuse, sauf que le rideau doublé de la baie écope mal un projo braqué sur la tour. Cette lueur est suffisante pour qu'au bout d'un moment qui me rend nyctalope (vous en êtes une autre) j'aperçoive une masse sombre[1] au pied du lit.

Je m'approche et actionne une lampe posée sur un bonheur-du-jour. Clarté dans les tons orangés. Je reconnais la blonde chevelure de Cédric Demongeard, le célèbre peintre amant de la baronne.

Seigneur !

Et je pèse mes mots !

Dans quel état a-t-on mis ce bel homme si talentueux ! On lui a sectionné l'extrémité du nez et il paraît souffrir d'un chancre de la face. Bien pire encore ; on a déboutonné son pantalon et on l'a découillé de première. Cela va sans dire qu'on l'a rendu muet en plaquant sur sa bouche une large bande de sparadrap.

Je passe la main sur sa poitrine : silence complet. Il n'y a pas davantage de différence entre son électrocardiogramme et un dessus de commode en marbre rose.

J'ai un coup d'intense tristesse devant le cadavre de ce peintre que je jugeais promis à la gloire. Certaines de ses toiles les plus fameuses défilent dans ma mémoire. Et voilà que je me fais le serment de le venger. Celui qui a perpétré pareille ignominie sera châtié ! Tu vois : je le décide en ces termes quelque peu surannés pour donner plus de poids à mon serment (ponétaire)[2].

1. Quand t'œuvres dans le polar, ne jamais oublier de placer « des masses sombres » en cours d'histoire. Elles font partie du folklore, comme les « il se tétanisa », les « son sang se glaça dans ses veines » ou autres « il crut que son cœur s'arrêtait de battre ». Si tu manques à ces traditions, les lecteurs déposent des réclamations auprès de la fédération et tu seras bon pour un blâme, voire un retrait de permis d'écrire temporaire.

2. C'est une contrepèterie, au cas où tu te poserais des questions.

En examinant Cédric plus en profondeur, je découvre qu'il a une aiguille à tricoter (en acier) enfoncée dans le cœur. D'où sa mort prématurée et définitive.

Maintenant, une question se pose : « Pourquoi "ÇA" ? »

De toute évidence, on l'a torturé. Or, on torture un être pour le forcer à révéler des secrets qu'il détient. Que pouvait bien « savoir » Cédric Demongeard ? Et concernant quoi t'est-ce ?

Me mets à circuler dans la pièce, à ouvrir les penderies, les tiroirs. J'y trouve des vêtements féminins et masculins. Les masculins sont ceux du défunt peintre, les féminins doivent appartenir à la baronne : c'est coûteux, bourgeois, plume dans l'oigne à souhait. Un manteau de chinchilla, des robes en « laminé » (Béru dixit), des escarpins de soie.

Dans une coupe, des bijoux de valeur, un peu lourdingues pour mon goût, mais je ne porte que ma Pasha et des boutons de manchette, en fait d'or.

La salle de bains recèle un kimono de soie pour dame opulente ainsi que des babouches brochées d'or. Conclusion : la mère Van Trickhül est bien descendue icigo, ou du moins y a-t-on amené ses valises et les y a-t-on défaites.

J'avoue piger de moins en moins les noirs desseins des gens qui « s'occupent » d'elle.

Quant à Berthe, où est-elle ? Que lui est-il advenu ? Et à Béru ?

Putain ! ce sac d'embrouilles !

Je m'exhorte : « Conserve la tête froide, Sana. Te laisse pas démonter par les apparences. Ce que tu ne trouves pas à l'étalage t'attend peut-être à l'intérieur du magasin. »

Le seul réconfort qui me reste, c'est la présence de Jérémie Blanc.

Je repasse au 610, relourde et vais ouvrir la fenêtre de Denise Mordanlhame pour hâter son retour à la conscience. Il est miraculeux ce produit ! Une invention de Mathias, tu penses bien. Inodore. De la semelle de ma savate, je fais disparaître les légers bris de verre résultant de l'ampoule brisée. L'épaisse moquette les héberge spontanément.

Ne me reste qu'à gagner mon pucier et à récupérer de toutes ces dures émotions.

SAMEDI

BUDAPEST, 2 H 8

Mais comme l'a si bien dit Georges Marchais dans son « Ode au Maréchal Pétain » : « le chien boit et le car havane passe ». Que de fois, seul dans l'ombre, à minuit demeuré, ai-je eu la ferme intention de clore mes jolis yeux pour chercher un sommeil réparateur. Et combien de mêmes fois, à l'instant où j'allais m'exporter au pays de Morphée, un incident indépendant de ma volonté m'a-t-il condamné à puiser dans mes réserves pour continuer une dangereuse mission ? Nous devons nous montrer des surhommes, nous autres héros d'aventures policières, si nous voulons satisfaire une clientèle de plus en plus exigeante, qui refuse que nous prenions un repos souvent durement mérité et qui n'accepte que nous fassions l'amour qu'à la condition expresse de lui narrer nos exploits matelassiers par le menu ! Ce sont les mêmes gens qui contraignent le funambule à travailler sans filet ni balancier, le gérant de fortunes à faire faillite et l'athlète à se doper pour réaliser des exploits de plus en plus stupéfiants. Ah ! comme l'homme est bien un homme pour l'homme !

Dès lors (comme on dit aussi de Jacques) que je me suis coulé dans les draps, à poil, car tu ne peux réellement apprécier un plumard qu'en tenue d'Adam, j'ai tendance à oublier le merdier qui s'accumule, ainsi que ces embrouilles majeures. Me mets sur le côté droit, avec le bras pour oreiller. C'est régnant comme position. Mes burnes colimaçonnent sur ma cuisse, languides comme une belle adolescente sur une plage. Un rêve, déjà! Et un beau! Avec du soleil, des culs, des fleurs et des cocktails de jus de fruits au naturel. De ces instants privilégiés qui m'incitent à remercier mon Créateur de Son infinie bienveillance à mon Edgar.

Et tout à coup, au cœur de cette voluptueuse inertie : le turlu, cette plaie de l'époque.

« M. Blanc », songé-je.

Effort pour décrocher.

— Salut, mec! fait une voix familière. Je craignassais que tu fusses absent.

Me voilà pleinement réveillé, dispos comme si je venais de battre le record du monde de la dorme sur Epeda multispires.

— Mais où es-tu, guerrier de comptoir? Qu'est-ce que c'est que ces manières de me fausser compagnie pendant le voyage?

Bérurier ricane :

— Toive, t'es pareil aux bonnes femmes qui t'attendent av'c le rouleau à pâtissererie et se mettent à te cigogner la tronche avant qu't'aies l'temps d'leur dire d'où qu'tu viens!

Il se tait un instant pour s'assurer que j'ai sorti les aérofreins et lâche, conscient de son effet :

— J'sus t'avec Léo.

— Qui, Léo?

— Léocadia!

— Quelle Léocadia?

— Dis donc, grand chef, t'aurais pas le caramel qui s'ramollirait? Léocadia : le baronne Van Trickhül, voilions!

Je tente de canaliser l'irruption de points d'interrogation qui me sortent de partout de manière hémorragique.

— Ah bon?

Il s'attendait à plus de véhémence, mais se contente de ces deux mots désabusés.

— Un vrai turbin, il fait.

Par charité chrétienne, je demande :

— Tu racontes?

— C'est tout un cirque!

— Et tu n'as pas de fraîche pour payer la communication?

— Je pensais qu'ça sererait mieux qu' j'le fisse d'vive voix, en tête à tête et ent' quat' zyeux.

— Verse déjà un acompte.

— Souate! condescend mon ami. J't' reprends les choses au moment qu't'étais dans la cabine du type blond. Toujours aimab', tu m'avais benjoin d'rester dans l'couloir, tu voyes c'dont j'cause?

— Extrêmement.

— J'ai arqué l'long des fenêtres, m'dékyloser les flûtes. N'a un moment, j'voye s'pointer une des deux ladies d'not' wagon. La vieille peau frisée, av'c des ch'veux blancs rincés au bleu de l'Oréal.

« Une gueule tellement ridée qu'elle ressemblait à du faf à train.

« Et cette vieille guenuche, tu sais quoive? La v'là qu'elle colle sa portugaise cont' la cabine du blondinet et s'met à esgourder. Qui mieux est, elle sort de son sac à main un truc que le toubib se met dans les cages à miel en appuiliant le bidule noir ent' les cerceaux du patient, vérifier s'il est poitringue. »

— Un stéthoscope?

— Si tu veux, moi j'ai rien contre. Et v'là la mémé qui suit vot' converse.

— Elle ne te voyait pas dans le couloir?

— Non, mec, biscotte j'étais entré dans la petite guitoune du loufiat de wagon pour piquer dans sa poubelle les r'liquaires d'croissants et d'brioches du p'tit déje. Ces vandaux d'voiliageurs, y balancent, y balancent sans s'occuper qu'des gamins y crèvent de faim dans l'monde. C'est juste comme j'en sortais qu'j'ai vu se pointer la lady en question; du coup, flairant du pas catho, j'm'ai planqué.

— *After?*

— Le dur a ralenti, et l'haut-jacteur à raconté comme quoi on se pointait à Innsbruck.

— Alors?

— Fissa, la vioque a rengainé son matériel, puis elle a venu à la portière du wagon. Quand l'dur s'a arrêté, elle s'est penchée su' l'quai ou trois mecs bizarres semblaient attendre. Elle leur a dit : « — Voiture 12! Compartiment 4! » Et les trois gonziers s'est mis à courir vers la queue du train. Ma pomme, tu m'connais.

« L'instinct! Un qu'en possède pas dans not' job, il est pire qu'un Espagnol breton qu'aurait la truffe bouchée. Illico, j'me mets à cavaler aussi, mais d' l'intérerieur, par le couloir. Et j'fonce, j'fonce, j'bouscule, j'bouscule. On m'engueule, j'réponds merde, j'ai mêm' flanqué un vieux branleur par une portière, m'étant pris les pinceaux dans sa canne, ce con!

« Les bagnoles sont également numérotées du d'dans. J'vais d'pus en pus vite. Ça s'savait déjà qu'j'arrivais, kif un siphon d'la Jamaïque et les gens s'hâtaient d'entrer dans leur comparte pour m'laisser le passage.

« Bon, voiture 12, enfin! J'étais hors de la laine. La porte du 4 était fermaga, mais ça remue-ménageait à l'intérieur. Moi j'empare la manette et entrouvre un quoi que ce soit, suffisant pour m'permett' d'aperc'voir ma Berthy en baronne! Deux gars la tenaient, un troisième s'apprêtait à y faire une piquouze. Charogne!

Alors moi : *the* crise! J'ouv' à toute violée et c'qui s'passe alors, jamais j'saurais t'y raconter tell'ment qu'j'm'en rappelle plus. J'étais dans un état secondaire, comme on dit. Et même trois ou quatrième z'au moins! Mon avantage, c'est qu'eux étaient entassés tandis qu'ma pomme, je disposais d'la largeur du couloir. J'y vais en otorhinocéros, grand! Les deux qui maint'naient celle dont j'la croiliais Berthy, je leur fais l'coup du cymbalier : mes deux poings écartés grand et ramenés de toutes mes forces, leurs tronches télescopent avec un bruit de sac de cent kilos d'ciment tombé du camion. J'envoye un coup de boule au vilain qu'allait actionner la seringue, et ce con se l'enfonce dans l'œil en poussant un n'hurlement terrib'. Pour le faire taire, j'y place une manchette savonneuse à la base de la théière. Zoum ! Au tas!

« Dans la foulée, j'attrape la pogne à Berthy et la gaufre à toute pompe par le couloir jusque z'à la sortie du wagon. J'ouvre la porte qui donne à contre-voie. Pile, y avait un dur stoppé. J'fais descend' la Gravosse, je déponne la lourde du train d'en face. La fais grimper, repousse les deux portes et on s'introduit dans un comparte de manars où qu'avait des gus en route pour l'usine. Pourquoive avais-je-t-il agi de la sorte? Une répulsion, mec. D'un seul coup, j'v'nais de piger que not' train foisonnait de gens ligués cont' la baronne. Mon idée, c'tait de jouer la figue de l'air et d'met' ma Baleine en sécuritance. Priorité absolue.

« L'dur a décarré illico. J'sais pas où il s'rendait, m'en foutais. Ailieurs, ça m'suffisesait! La Grosse mouftait pas. J'y t'nais la pogne. Temps z'à aut' j'y plaçais un bec mouillé dans l'cou. Quand l'contrôleur a passé, j'ai chiqué au touriste qu'a fourvoyé, s'est gouré d'train.

« C'tait un bon con : y n'nous a pas fait casquer, mais a veillé qu'on descendâmes l'arrêt suvant. Un bled à la con où y f'sait un froid d'voyou. On a cassé une graine dans une auberge à la gomme, toute peinturlurée, où ça jouait d'la musique à vaches. Charcuterie fumaga, esquise! Des jarrets d'porc au chou rouge qu'tu t'serais cru chez *Lasserre*.

« Et c'est alors qu'la baronne me dégoise la vérité : elle n'est point Berthe mais vraiment la baronne. L'coup à Berthy, c'tait un' ruse. Ton pote d'la police belgium t'as niqué, grand. Il a veillé à c'qu'aye des fuites à propos d'ton tour d'passe-passe, d'manière qu'les ennemis à Léocadia crussent qu'on voulait les chambrer mais en réalité réelle, c'tait bel et bien la baronne qui v'nait en Hongrie, comprends-tu-t-il? »

— Je commence. Dis voir, tu parles anglais, maint'nant?

— J'ai toujours causé anglais, mec. Y a des mots qui m'échappent t'encore, j'dis pas, mais j'm'débrouille.

— Quand la vieille lady de l'Orient-Express a crié les numéros du wagon et du compartiment où s'trouvait la mère Van Trickhül, t'as pigé?

Il réfléchit.

C'est un loyal, Bérurier. Vantard à l'occasion, mais jamais quand il est question travail.

— Tu m'fais penser : elle a crié en italien. Ça, je pige : j'ai eu un beauf rital qui n'cassait pas une broque de françouze. D'alieurs, les agresseurs étaient bruns et çui qui s'est crevé un lampion, l'a fait en italien puisqu'il a hurlé : « *Mamma mia*! ».

— O.K., tu ventiles bien, Gros, continue sur ta lancée.

— Où en étais-je-t-il?

— Dans l'auberge tyrolienne.

— Oh, oui! On a t'nu conseil, la mère et moi. Je partisais qu'on rent' sur Paname, mais elle a mordiqué pour viendre à Bouddha-peste. Question de vie et d'mort, elle certifiait. Bon, on s'a frétillé un train pour Vienne.

« En *first*, y avait personne. Comme on s'plumait, j'ai tiré la mère à la langoureuse; su' l'côté, si tu voyes? J'avais bloqué la porte coulissante av'c ma ceinture et on a usiné comme des princes charmants. T'sais qu'mon étouffe-chrétienne y a pas fait peur la moindre? Elle a une babasse d'en comparaison de laquelle l'tunnel sous Fourvière c't'un trou d'souris.

« Elle raffole l'embroque, Léo! L'a apprécecié ma délicatesse, c't' manière que j'la fraisais au rythme du train, pendant qu'é matait l'Alpe neigeuse. Moi qu'ai plutôt d'la brusquererie dans l'coup de reins, j'la pratiquais valses de Vienne. Elle goinfrait du frifri sans brusqu'rie. J'avais l'chibre charmeur. Un vrai sorcier d'la tringle. Et elle, fallait voir c'te tenue! Impec, pas un gémiss'ment ou grossièreté. La classe! Elle encaissait mes quarante centimètres de bidoche sans broncher.

« Si j'te dirais : à "Ça se bourre", un pasteur est entré dans not'comparte. Il a tiré si fort la poignée qu'il a fait péter ma ceinture, c'vieux nœud. En pleine chibrée, que voulais-tu-t-il qu'nous fissions? Semblant d'roupiller. Le pasteur s'est mis à lire du gothique et on a pu reprend' not ascension d'l'Ev'reste, sans heurt. Le train, ça nous aidait biscotte il jussifiait not' trépidance du fion. Malheureus'ment, il a freiné à mort, c'qui nous a fait déjanter pile au moment où j'déboulais des rognons.

« Ma potion magique a fait un vol plané à travers l'comparte et y a emplâtré l'bouquin, l'révérend. Ça l'a poustouflé. Il a l'vé les yeux au ciel, comme si c's'rait un oiseau qui y aurait chié d'sus. Mais un parachutage d'c't'acabit, y aurait fallu un aigle royal au moins. Comme y avait pas la possibilité d'un vol d'autruches, il a pigé l'origine du siniss. Les pasteurs n'font pas vœu d'chasse tétée et y confondent pas du foutre av'c du savon liquide. Tu l'aurais vu r'prend' sa valoche, son manteau et s'sauver en braillant à tyrol-laringo ! La crise ! On s'est marrés comme deux dromadaires, moi z'et Léo. »

Je l'entends péter de joie rétrospective.

— Un'fois à Vienne, reprend Alexandre-Benoît, on s'a fait driver à la raie au porc d'où qu'on a pris l'dernier vol pour Bouddha-peste. J'ai supplié la Grosse qu'on n'allasse pas au *Hilton* où l'attendait son p'tit julot blond. Non qu'j'soye jalmince, une gonzesse comme la baronne, y en a pour deux et davantage, espère, mais ç'aurait-ce été imprudent.

— Où êtes-vous ?

— Dans un petit bled à la courbe du Danube ; faut une demi-heure pour y arriver par bagnole.

— Il s'appelle comment, ton patelin ?

Le Gros hésite.

— Attends, j'me rappelle pas.

Je l'entends crier à la cantonade :

— Dis-moi, ma belle d'Fontenay, c'est quoi l'nom d'ici ?

J'entends un organe de rogomme lancer :

— Szentendre !

— Quoive ?

— Cela signifie Saint-André en hongrois.

Béru me répète :

— Santender ! On s'd'mande où ils vont chercher ça ! Faut ête hongrois, j'te jure.

— Et où vous trouve-t-on ? Je suppose que vous ne bivouaquez pas sur le terrain de foot du village ?

— Non, mais écoute, y a une grand' place pavée, avec, au mitan, une croix d'fer, j'irai t'y attend'. Tu penses viendre dans combien de temps ?

— Je m'habille et je cherche un taxi de nuit.

SAMEDI

Szentendre, 3 h 10

Là, le Danube qui, au départ avait vocation de se précipiter à l'est, réfléchit et opte pour le sud. Sa large courbe enserre un paysage charmant que je me promets de venir examiner de jour pour mieux profiter des maisons de couleurs vives, au style rococo. Sept clochers dansent la gigue du culte sur les collines de la petite cité et découpent leurs bulbes en ombres chinoises contre un ciel qui reste clair. Les ruelles abritent des magasins de souvenirs artisanaux, des galeries de peinture, voire des antiquités dont la plus vieille date tout juste de la dernière guerre. Depuis le départ des Russes, on bazarde tout un bric-à-brac abandonné par ces chéris : coiffures militaires, montres, insignes communistes, etc. Cette quincaillerie voisine avec des boîtes peintes, des bouteilles de Tokaji (Tokay), des nappes brodées, des sachets de paprika et autres vases de verre ciselé.

Je carme un bouquet à mon taxi en le priant de m'attendre. Comme je l'ai ciglé en dollars, il est prêt à poireauter toute la nuit et à m'emmener chez lui à l'aube pour que sa femme me fasse une pipe hongroise, goût magyar.

Je le laisse pour me mettre en quête de la grand' place pavée au centre de laquelle est érigée une croix de fer (si je mens je vais en enfer!).

La trouve sans la moindre difficultance. Au pied de cette croix rococo du XVIIIe siècle, j'avise une nouvelle « masse sombre », si volumineuse qu'il ne peut s'agir que de Béru. Alarmé, comme à l'armée, je me rue. Qu'ouf ! Le Gros est seulement endormi. Il tient un étrange bébé dans ses bras : une énorme bouteille d'alcool d'abricot (appelé chez nous « abricotine »). Sereine image. La Verge à l'enfant ! La bouteille est vide aux trois quarts.

Sa Majesté Gradube pue la gnolasse d'autant plus violemment qu'il la rote en dormant. Je le secoue :

— Tout le monde descend, Gros !

Lui, il l'est descendu, proprement et pour un bout de moment ! Ivre mort, le salaud ! Allons bon, v'là autre chose ! Tu parles d'un cadeau, ce mec ! Qu'allons-nous fiche dans ce bled inconnu, alors qu'il n'est plus en état de m'indiquer où il crèche avec sa baronne de mes deux qui commence singulièrement à me gonfler les flotteurs ?

Je continue de crier son blase dans ses manches à air, mais toujours sans résultat.

« Bien me dis-je en aparté (car je reste d'une grande discrétion avec moi-même), un nombre incalculable de gens ont fait appel à San-Antonio pour résoudre des problèmes difficiles, eh bien imite-les : fais appel à toi ! Plusieurs soluces : j'attends que Bébé rose reprenne conscience, au besoin en hâtant sa résurrection avec le concours du Danube proche ; je le charge dans mon taxi et l'expédie au *Hilton* en demandant qu'on l'héberge dans ma piaule ; ou bien encore, je le laisse cuver et pars, au pif, à la recherche de la planque où ils se sont terrés, la baronne et lui. »

Que ferais-tu à ma place, Ignace ? Tu choisirais la deuxième proposition, à savoir le rapatriement sur Budapest ?

Oui, c'est effectivement la plus sage. C'est pourquoi j'opte pour la troisième.

Le seul atout dont je dispose, c'est l'heure extrêmement tardive. Il est plus de trois plombes et, dans cette bourgade paisible dont la vocation est le tourisme, tout le monde ou presque roupille. Le jeu consiste donc, pour moi, à repérer les fenêtres éclairées. Zsentendre n'est pas grand et si le Gros m'a filé le ranque sur cette place, c'est parce qu'il devait la voir depuis l'endroit où il se trouvait : logique, puisqu'il ne connaît pas ce bled et s'y pointe en pleine noye.

Alors je matouze en opérant un 90 degrés. Je ne distingue que deux fenêtres allumées : l'une est celle d'une maison basse dont une épicerie occupe le rez-de-chaussée, l'autre s'ouvre à l'arrière-plan de la place et concerne une double fenêtre ancienne à meneaux. D'instinct, c'est sur elle que je jette tu sais quoi ? Oui : mon dévolu ; t'as gagné une ration de goulasch.

Une ruelle montante. A droite un muret pourvu d'une grille qui sert de tutrice à des plantes grimpantes. Une porte de fer rouillée. Je la pousse, elle recule. Un escalier de pierres ébréchées mène à une étroite terrasse où se dresse une maisonnette à un étage, peinte en jaune impérial, avec le tour des fenêtres et des portes blanchies.

Sésame est de nouveau là pour l'action.

Cric crac, du gâteau de semoule ! Je passe la tronche dans une aimable entrée qui sent un tantisoit le renfermé. Sur la droite, une porte d'où filtrent de la lumière et un bruit de conversation. Je tends mon baffle : deux femmes, un homme. Ronron paisible ; odeur de café frais.

Mieux que tout le reste, au plan réconfort : ça parle français. Du coup, je *sais* que j'ai violé la bonne porte.

J'entre dans une pièce à vivre meublée de choses disparates, mais de bonne allure. Les rideaux sont hongrois, ainsi que les nappes et leurs progénitures, les napperons. Au mur, un portrait baroque de ce vieux branleur de François-Joseph, en uniforme bleu et moustache blanche, trouvé chez un broc du coin.

J'avise trois personnes : la baronne, un homme sympa, d'une quarante-cinquaine d'années, d'allure sportive et d'expression détendue. Plus une jeune femme agréable, dont le regard est convaincant et la poitrine pas du tout en chômage technique.

— Pas d'affolement, dis-je en matière de salut, et pardon pour l'intrusion due à un incident indépendant de ma volonté.

Je brandis ma jolie photo tricolorisante sur fond de Préfecture de Police.

— Je suppose que vous me reconnaissez, madame Van Trickhül? demandé-je à la dernière conquête de l'homme béruréen.

Elle opine, tu penses qu'elle va pas rater l'occasion!

J'explique en cinq ou six mots normalement constitués pourquoi je me présente seul et indiscrètement.

L'homme murmure :

— Vous dites qu'Alexandre a fini la bouteille?

— Pratiquement.

— Mais elle était pleine! Il m'a demandé de la prendre pour se réchauffer au cas où vous tarderiez!

— Je n'ai pas tardé, seulement il doit aimer *aussi* l'abricotine. Cela vous ennuierait de m'aider à le rentrer? Aux haltères il m'est arrivé de soulever cent dix kilos, mais il en pèse quarante de plus.

Nous sortons. L'homme se présente. Il est français, s'appelle Dominique Pourrinet. Il loue cette maison de Szentendre parce qu'il aime voyager et connaître les pays en profondeur. La baronne? Comment se fait-il qu'ils soient en relation? Le hasard! Un jour qu'il voyageait en voiture sur une route de Haute-Savoie, l'automobile qui le précédait a raté un virage et plongé dans le vide. Tonneaux, re-tonneaux! Il s'est précipité au secours des occupants. Le conducteur : un chauffeur en livrée, était mort, la nuque brisée. Par contre, sa passagère, qui voyageait à l'arrière du véhicule immatriculé en Belgique, souffrait seulement de contusions multiples. Il est parvenu à l'extraire de l'épave et à la hisser jusqu'à la route. Comme il disposait d'une trousse de secours, il lui a donné les premiers soins. Il est prof de culture physique et possède des notions de secourisme.

L'accidentée paraissait si désemparée, voire traumatisée, que mon compagnon a eu pitié et s'est occupé d'elle. Formalités avec la police, transport de la pauvre femme à l'hôpital d'Annecy pour des radios et points de suture. Il a poussé ensuite la sollicitude jusqu'à l'installer à l'hôtel du *Père Bise*, à Talloires, où elle a pu se reposer en attendant l'arrivée d'un ami. La mère Van Trickhül lui a voué une infinie reconnaissance et, depuis lors, le traite en ami.

Ils se voient fréquemment. Comme elle fait plusieurs fois l'an le voyage à Budapest pour ses affaires, elle lui a déjà rendu visite dans la maisonnette de Szentendre. Non, il ne l'attendait pas, cette nuit. Elle est arrivée sans crier gare, alléguant qu'elle était en danger. Il l'a hébergée ainsi que son gros compagnon sans demander d'explications : un gentleman.

J'opine. Nous voici près d'Alexandre, toujours en pleine semoule. Au moment où je m'apprête à le relever, mon attention est attirée par une flaque odorante à quelques mètres du Gros. Je n'y ai pas pris garde à l'arrivée. M'en approche : ça pue l'alcool d'abricot.

Déduction à l'emporte-pièce : il s'agit du contenu de la bouteille qui tient compagnie au Gravos.

Seconde déduction, plus élaborée : si l'alcool de la bouteille a été vidé sur le sol, Béru ne l'a pas bu, s'il ne l'a pas bu, il n'est pas ivre mort. Donc, il souffre d'un malaise, à moins qu'il ne s'agisse d'autre chose.

Et c'est quoi, autre chose ?

Je vais te dire : une agression !

Je palpe son énorme tronche en os sans y trouver de plaie ni de bosse. Ensuite, je procède à l'examen de ses fringues : zob. Aucune trace de balle ni d'arme blanche.

— Que cherchez-vous ? me demande Dominique.

— Aidez-moi, réponds-je, au lieu de tartiner sur l'objet de ma préoccupance.

Tu sais que c'est pas joyce à trimbaler, un sac à merde pareil ! Je préférerais coltiner une tonne de duvet qu'un quintal de Béru ! On embarde en traînant ce bœuf ! Pour passer la portelle de la maisonnette, faut s'y prendre en quinze fois. On aurait intérêt à le découper à la tronçonneuse, le Mastard, et à opérer plusieurs voyages.

Enfin, la volonté, quand elle s'accompagne d'énergie, triomphe de tout et voilà bientôt Bibendum sur un canapé. Les dames sont aux cent coups. Mais quoi ? Mais qu'est-ce ? Qu'est-il arrivé à ce pauvre homme ? Tout bien. La compagne de Dominique est une jolie brune avec des yeux pas tristes et une bouche rêvée pour faire des bulles. Elle s'empresse d'aller quérir un gant de toilette et une boutanche d'eau de Cologne afin de bassiner les tempes de l'inanimé. Très vite, le gant devient gris sombre.

— Vous avez-vu ? demande-t-elle en désignant une petite plaque violette sous l'oreille d'Alexandre-Benoît.

Au centre de cette tache grande comme une pièce de cinq francs, l'est un petit trou rouge, minuscule. Je pige : piqûre ! Quelqu'un a neutralisé le Mastard par-derrière en lui filant un coup d'épingle dans le cou. J'espère qu'on ne l'a pas traité au curare, non plus qu'au cyanure. Non, car il serait déjà *ad patres !*

Je soulève une paupière de l'homme de Néandertal et, ô stupeur, m'aperçois que le lampion est lucide. Le Gravos est totalement paralysé, que dis-je : monolithique, mais son cerveau continue d'exercer ses fonctions. Bien sûr, ce ne sera jamais celui d'Einstein, mais il est préférable à celui d'Einstein maintenant.

Soucieux de conforter cet homme d'action minéralisé, je le conforte :

– Tu t'es laissé anesthésier par un coquin, Gros. Mais tu vas recouvrer ta mobilité dans un moment. Tu peux me donner un quelconque signe d'intelligence ?

Un moment de silence épais passe, puis un pet lui vient, lointain, grondeur, qui acquiert de la puissance et finit en déchirure de drap.

J'adresse une prière d'infinie reconnaissance au Seigneur pour Le remercier de ce signe de vie.

SAMEDI

SZENTENDRE, 4 H 01

Elle est exténuée, la baronne. Elle arrive à un âge où les aventures de ce troisième type : les fuites, les rapts, les séquestrations, les coups de verge ferroviaires te malmènent le physique et le moral. Le danger est dur à assumer pour une personne qui vit dans la crème Chantilly de l'aisance. La vue de son « sauveur » raide comme barre, avec, pour ultime langage celui de ses entrailles, telles les carmélites, achève d'anéantir la digne dame.

Je prie nos hôtes de nous excuser et j'entraîne la matrone titrée dans la pièce contiguë, en l'occurrence une chambre à coucher.

— Madame, l'attaqué-je, lorsqu'elle s'est assise dans l'unique fauteuil de la pièce, avec moi en tailleur à ses pieds, il est grand temps de me fournir quelques explications. Vous subissez la pression de gens bien décidés à vous nuire, et qui arriveront à leurs fins si l'on n'établit pas d'urgence un pare-feu. Nous sommes à l'étranger, dans un pays de l'Est, naguère communiste, qui n'a pas encore établi de liens très forts avec nos propres nations. Nous devons jouer serré, madame. Un malheur, déjà, s'est produit, d'autres vont suivre.

— Vous croyez qu'Alexandre-Benoît est perdu? balbutie-t-elle.

— Ce n'est pas à lui que je fais allusion, mais à votre

amant de cœur, le déjà célèbre peintre Cédric Demongeard.

Là, elle comporte comme si un samouraï venait de lui enfoncer un sabre de quatre-vingts centimètres dans le fibrome. La baronne porte ses deux mains à ses mamelles en cours de liquidation judiciaire et s'exclame :

— Oh ! Non ! ! !

Trois points d'exclamation, mon cher : je les ai comptés.

Et ma pomme, impitoyable, de balancer en écho :

— Hélas !

— Vous voulez dire ?...

— Oui, madame.

— Mort ?

— Après avoir été torturé dans la chambre que vous aviez réservée à Budapest.

Je vois d'énormes larmes épaisses comme de la glycérine jaillir de ses yeux.

— Après torture, dites-vous ?

— On lui a sectionné le nez et les testicules, baronne !

— Et puis on l'a mis à mort ?

— Une mince tige d'acier enfoncée dans le cœur : ça ne pardonne pas.

— Si on l'a tué, c'est qu'il a parlé ?

— Ne lui en tenez pas rancune : un bel homme privé de ses roustons ne peut se contrôler. Les gens qui s'acharnent contre vous sont à pied d'œuvre. Leur récent attentat sur la personne de mon collaborateur le prouve. Il convient de tout me dire, et de me le dire d'urgence ! Chaque seconde perdue peut vous être fatale.

Elle reste prostrée, à acquiescer lamentablement, comme un être privé d'esprit.

— Parlez ! l'exhorté-je-t-il. Dites-moi tout ! Vite !

Alors il se passe une chose sinistrante : la voilà qui se met à rire. Son regard est totalement égaré.

Viendrait-elle de perdre la boussole, la pauvre femme ? Trop de stress. A son âge, ça ne pardonne pas ; on se détériore de la hotte, on charançonne du petit pâté. En apprenant l'atroce mort de son peintre, elle a craqué, la vioque, son bulbe s'est voilé, il a pris le jour ! Voilà qu'elle se met à chantonner. Dis, tu juges ? Elle fredonne *les Roses blanches* ! De quoi se l'extraire et se la peindre aux couleurs belges ! Oh ! merde, cette tartine de gadoue, mon pote ! Je vais finir par déclarer forfait avant le lever du jour, moi. J'entrave ballepeau à cette historiette. Trop, c'est *too much*. Faut suivre.

Il m'a flanqué dans une sacrée pistouille, mon pote bruxellois. La prochaine fois que je retourne visiter la place Royale, c'est pas sa grande fille que je tirerai à Buton-Debraghette, mais sa rombière. Elle ressemblait à quoi, la cheftaine de police, au fait ? Une dondon dodue, probable : bière et frites à toute heure ! Le cul comme un ancien tender de loco, à l'époque du charbon. Tu y vas au ringard, là-dedans, elle croit que tu lui places un suppositoire. Pour la faire vibrer, la Gertrude, faudrait un pic pneumatique. Et encore ! Elle glousserait comme quoi ça la chatouille.

En amour, le pire, c'est les femmes placides. Frigides, tu peux espérer le déclic ; même ça te défie et tu déploies toutes tes brèmes. Mais placides, c'est la sérénité inamovible de la vache. T'as déjà vu des femmes de taureau se faire miser, toi ? Des bœufs ! Indifférentes au-delà du possible. Insensibles et résignées. Ferdinand l'escalade à grand renfort, mais la vache se laisse fourrer comme si ça ne la concernait pas. Elle veut pas le savoir. Elle morfle sans sourciller un chibre gros comme un bras d'honneur de gladiateur. Son cul n'est rien d'autre qu'une servitude, un droit de passage consenti dans la plus totale indifférence.

Et ma pomme de divaguer, tandis que la baronne

chantonne, que Béru joue les gisants chinois en terre cuite, que le compteur de mon taxi tourne et que je deviens, sinon chèvre, du moins bouc émissaire!

Dans mon idée, elle devrait roupiller un brin, Léocadia, pour tenter de se refaire une santé. Elle est en rupture de stock, question énergie. Doit se faire rempailler le citron, mémère. Les gens ne gâtochent pas d'un instant à l'autre, ça les biche par accès, périodes. Puis ils redeviennent normaux avant de replonger un peu plus tard.

Je décide d'alerter Pourrinet pour que sa ravissante aide la baronne à se torchonner.

Je retourne au salon.

Oh ! dis donc ! « La nuit des longs couteaux », on joue dans la pièce attenante. Mes hôtes sont laguches, côte à côte, face à une cloison contre laquelle ils prennent appui des deux mains tandis que leurs pieds s'en trouvent écartés à l'extrême. Un type habillé d'un blouson et coiffé bas d'un bonnet de laine se tient assis derrière eux, un pétard en main, un chouette : au moins du 9 mm.

Deux autres mecs, dont l'un est armé d'une mitraillette clairon (c'est mézigue qui l'appelle ainsi) attendaient ma sortie en braquant ma porte (et donc moi, à présent).

D'un signe de tête, il me fait signe d'aller me placer auprès de mes copains et d'adopter leur posture. Bon, s'il n'y a que ça pour lui faire plaisir, on ne va pas se chicaner pour si peu.

Le troisième, qui n'a encore rien fait d'intéressant, passe dans la chambre que je viens de quitter et réapparaît en tenant la baronne par le bras.

Ces gens sont d'une efficacité qui s'appuie sur le silence et la détermination. Le type en question quitte la maison avec la dadame; j'entends la porte de fer qui grince dans sa rouille.

Cette fois, te voilà bien niqué, mon Sana. Toi qui as pris l'Orient-Express pour protéger la mère Van Trickhül et qui, par deux fois, te la laisses engourdir à tes nez et barbe, gros malin. Non, pas malin : madré que prétend l'autre con de Félisque Binoït, qui possède autant d'humour qu'un bac à friture refroidi et le fait savoir.

Le grand chef suprême de la Rousse parisienne est là, mains au mur, les tempes battantes d'une rage incoercible, comme on dit dans le commerce.

Le temps s'écoule, pour du beurre. On attend quoi ? Le retour des Russes ?

Probable que le gazier qui a embarqué Léocadia dirige le commando et qu'il va revenir. C'est bien sûr lui que nous espérons. Dans quel but ? Ces méchants comptent-ils nous récurer la prostate ? Voire nous embarquer à notre tour ?

Je me dis qu'il me reste encore des petites ampoules soporifiques dans ma poche gousset et qu'en craquer une serait judicieux à ce moment de l'action (ou plutôt de l'inaction). Seulement, avec ces gaillards, je sais qu'un geste de trop serait salué par une volée de plomb. Ces messieurs sont des assassins diplômés qui possèdent leur licence de tueur, ça se pige d'un seul regard.

Chaque fois que j'ai cherché une idée, je l'ai trouvée, parole ! Suis-je doué ? Surdoué ? Doté d'une intelligence au-dessus de la moyenne ? Je te laisse le soin délicat de décider.

Figure-toi que j'avise, à cinquante centimètres sur ma gauche, le commutateur électrique. Je pense que si je l'actionnais, il ferait nuit dans le salon, lequel n'est éclairé que par une grosse vieille ampoule logée dans une sorte de coupe colorée.

Insensiblement, sans paraître bouger, je m'achemine de quelques centimètres en direction du commutateur mentionné plus avant. Infime déplacement de mes talons, puis, peu après de mes pointes de godasses. Je chique au mec qui trouve sa position astreignante et qui compose avec elle.

Seulement faut que j'affranchisse mes gentils compagnons d'infortune. Comment ?

C'est l'attitude de la mère Léocadia qui m'inspire. Je me fous à siffloter, puis à fredonner. Nos « gardiens » restent impassibles. Je chantonne *Domino* (notre hôte, je te le rappelle, se prénomme Dominique).

Et ça fait ça, ma chansonnette :

Domino, Domino,
Je vais éteindre la loupiote,
Aussitôt, Domino,
Foutez-vous sur l'plancher, illico !

— *Shut up !* aboie l'un des deux gaziers, agacé.

Bon, bon, je me tais. Encore un brin de rotation et je me trouve face à l'interrupteur. Maintenant, va falloir usiner du nombril, mon pote. Je gonfle mon bide autant que je peux en le frottant contre la cloison.

Tout en agissant, je retapisse la position des deux vilains.

Et c'est tout à coup l'obscurité bienfaisante.

Pas le temps de la déguster à la petite cuiller. Je me balance sur le plancher, exécute un roulé boulé qui me fait culbuter l'un des méchants. La mitraillette glaviote un chapelet de quetsches. Je sens du mou, y enfonce ma droite. Cri ! Je réitère. Re-cri (sans chuchotement). Maintenant c'est du dur que je palpe : un crâne. Pouf ! Je trinque. Tellement fort que j'ai dû lui fêler la coquille. Au craquement, je pense y avoir scrafé le tarin. Le gus va devoir se moucher en empoignant une tomate écrasée. De ma main gauche, je lui cueille le menton, au jugé, et je mets ma dextre en tranchant pour lui assurer une manchette carabinée à la pomme d'Adam. Sa glotte éclate comme une noix. Il va lui falloir une trachéotomie pour respirer confortablement.

Et l'autre, pendant ce temps ?

Ben, il ne doit savoir faire que deux choses dans l'existence, ce paf ailé : vider un chargeur et se tailler. Il canarde jusqu'à plus soif, puis fout le camp en renversant des sièges sur son passage.

Je dégaine l'une des armes prélevée sur les agresseurs du train pour le courser.

Je décèle son ombre devant la porte du jardin où, de jour, la glycine en fleur met de tendres couleurs. Prends appui sur mon avant-bras gauche et vise posément.

Le secret, je vais te dire, c'est, dans les cas urgents, de ne pas céder à la précipitation, toujours néfaste, mais, au contraire, d'agir comme si tu contrôlais le temps. A force de calme, il se plie à ta volonté, se « démultiplie ». Le fuyard, par contre, il est sur des charbons, alors ses gestes s'empêtrent, il bégaie des jambes et des brandillons.

Je lis ma mire sur sa gueule, me dis que non non, pas de ça. Le neutraliser, certes, mais sans le refroidir. Mon canon se déplace et je vise ce qu'on nomme en langage de chasse : le défaut de l'épaule.

« Mon feu détone ». Ça produit un bouzin du diable au milieu de cette nuit hongroise. Le mec émet un beuglement sauvage, titube sous l'impact et tombe à genoux.

J'accours, juste comme il parvient à se redresser. Sa mitraillette gît sur le sol et il a le bras inerte le long du corps. Lui enfonce le tuyau d'échappement de mon pistolet dans le creux de sa nuque.

— Calmos ! lui intimé-je.

Il résigne.

Voilà, c'est ce qu'on appelle « reprendre la direction des opérations ». Ce genre de renversée, je la réussis assez bien dans l'ensemble. T'as vu dans l'Orient-Express, la force de l'homme-flic ? Cette maestria pour dominer la situation. Trois gonziers neutralisés en vingt secondes. Et là ? Deux ! Bruce Lee ne faisait pas mieux avec son bâton tournoyant.

— Comment ça se passe ? interroge le gars Dominique.

— Un velours ! Et de votre côté ?

— Ma chérie a pris un éclat de bois dans la cuisse, à part ça, tout baigne !

— Soignez-la, j'arrive.

— Vous savez que l'autre type a des ennuis avec l'existence ? Je crois qu'il aurait intérêt à respirer avec ses fesses. Je préviens la police ?

— Ça va tourner au caca, prédis-je : l'emballage général et des suites extra-fâcheuses que je vous raconte pas.

— De toute manière, avec cette séance d'apocalypse, on va avoir de la visite ; vous ne vous rendez pas compte du chahut qui a été fait ici ! Regardez : on commence à voir des lumières un peu partout.

Je suis l'homme des promptes décisions, tu le sais ? Je fulgure, côté détermination.

— Version, fais-je. Deux mecs armés se sont introduits chez vous. Ils ont assaisonné le Gros Béru et vous ont tenus en joue. Avec un héroïsme qui fait honneur à la France éternelle, vous vous êtes jeté sur eux et êtes parvenu à réduire l'un des agresseurs. L'autre s'est sauvé après avoir vidé son magasin de quincaillerie. Pas un mot sur la baronne, pas un mot sur moi. Tchao !

Je fais pivoter l'homme au bonnet de laine.

— Allez, mon gros lapin, vivons notre vie.

SAMEDI

SZENTENDRE, 4 H 50

Y a plein de gens qui disent la vérité comme une montre arrêtée donne l'heure : deux fois par jour, et pas longtemps. Il est clair que mon prisonnier appartient à cette confrérie.

Lorsque je lui ai arraché son bonnet de laine pour mater sa physionomie, je contiens mal un frisson de répulsion. Gueule de vermine irrécupérable. L'homme des plus bas coups de main, le salaud de vocation qui doit jouir dans ses hardes quand il provoque la douleur d'autrui.

Quand on joue « Verdun page d'histoire » à quatre plombes du mat dans un village touristique, on a intérêt, ensuite, à se déguiser en homme invisible, sinon on a droit à la béchamel du siècle.

La ruelle de Pourrinet partant à l'escalade d'une colline, je nous y sommes engagés, moi filant des coups de genou dans les meules du zigoto pour l'inciter à tricoter. Au bout de peu, et sans avoir rencontré quiconque, nous déboulons sur une esplanade où se dresse l'église Saint-Jean Baptiste. Je me dis qu'un lieu de cette qualité est secourable pour les hommes de bonne volonté en bute aux tracasseries existentielles, aussi ouvré-je-t-il la porte afin de nous y mettre à l'abri.

Les vitraux déversent une lumière jaspée, due au clair

de lune qui les traverse. Je remonte l'allée centrale jusqu'au chœur et oblique sur la droite où se trouve la porte de la sacristie. Elle n'est pas fermée. La pièce, blanchie à la chaux, est meublée d'un immense porte-chasubles, d'un bureau et de quelques sièges. Aux murs, des tableaux religieux, au cadre de bois noir, racontent le Petit Jésus. L'endroit ne comporte qu'une fenêtre étroite, perchée, qu'on peut obstruer avec un rideau de vieux velours coulissant sur une tringle.

Je tire celui-ci et donne la lumière.

Mon malfrat blessé tient son bras troué de sa main valide. Il pisse le sang de manière inquiétante qui me donne à craindre que je lui aie pété une artère à grande circulation. Il faudrait lui poser un garrot et le conduire dans quelque centre hospitalier, seulement c'est là un luxe que je ne puis lui offrir, compte tenu des circonstances.

— Assieds-toi ! lui enjoins-je.

Il reste sans réaction.

— *Sit down* ! reprends-je.

Là, il pose son deux-pièces-trou-de-balle sur une chaise rempaillée de frais. Sa main crispée est rouge et, déjà, une flaque s'étale sur le carrelage.

Ma conscience regimbe. Il va se vider la tuyauterie, ce con, si on ne lui porte pas secours. Je lui en fais la remarque et il a un sourire torve qui se veut fataliste, mais je doute de sa sincérité. Quand un gusman voit sortir à flots son beau raisin de son corps, il n'en mène pas large.

— Où ton copain a-t-il conduit la baronne ? lui demandé-je.

— Aucune idée.

— Dommage, parce que nous allons rester ici jusqu'à ce que tu me répondes, et je ne pense pas que tu possèdes une grande autonomie de sang.

Il ne bronche pas.

— A l'allure où tu te répands, mon ami, tu seras en un rien de temps vide comme le verre d'un poivrot. Tu ne trouves pas ça idiot ?

Comme il se tait toujours, je place une chaise face à la sienne, l'acalifourchonne et m'accoude au dossier pour contempler mon zèbre plus à l'aise.

Il est très brun, le visage triangulaire bleui par la barbe de nuit. Il porte ses cheveux longs, en queue-de-cheval ! Rien que je trouve plus con. Une queue-de-cheval, pour un homme, bravo ! Mais dans son bénouze seulement. Leur manière, ces trouducs, d'abdiquer leur masculinité en s'affublant de coiffures insensées !

T'en as qui se rasent la tronche pour ne conserver qu'une grosse touffe en brosse de chiendent, d'autres qui se pratiquent comme une longue visière de tifs, gominée à mort, et puis encore des inventions capillaires de zozos qui prennent ces automutilations pour du courage et roulent des mécaniques de manière dérisoire, les pauvres mômes !

L'humanité se fait de plus en plus la gueule qu'elle mérite. Le pur con veut que sa connerie se voit au premier regard, alors il use d'un code pour la mettre en évidence. Et moi, quand j'en croise, j'ai envie de leur dire : « Mais bien sûr que t'es con à bouffer de la bite en salade, mon grand; c'était pas la peine de faire tout ce cirque : je m'en serais aperçu tout seul ! »

Curieuse partie de bras de fer, si je puis dire. Son courage contre ma pitié. Qui craquera le premier ?

— Avec la gueule et l'accent que tu as, tu n'es pas anglais, je murmure.

Il me vote un nouveau sourire maléfique.

— Je ne suis rien !

— Je vois, dis-je, absolument rien, pas même un bon malfrat ! Alors que tu as une mitraillette en pogne, tu te laisses niquer comme un bleusaille. S'ils n'ont que des guerriers comme toi, dans votre bande, ils ne doivent pas souvent gagner la guerre !

Mon sarcasme le flagelle et sa pâleur consécutive à « l'exsanguination » s'accentue à tire-d'ailes.

— Tu connais ton groupe sanguin, j'espère ? fais-je d'un ton léger. Car si tu me réponds avant d'être à sec, il ne faudra pas perdre de temps pour refaire ton plein !

Marrant comme, parfois, l'imagination est stimulée par une image, voire par certains mots.

Là, est-ce la notion de son corps « à sec », est-ce la formule médicale « groupe sanguin » ? Toujours est-il qu'il a le sursaut, l'artiste. Il est flashé dur par l'horreur. Il s'imagine en train de s'affaiblir rapidos et de sombrer dans le désert de ses veines vides.

— On l'a embarquée d'urgence pour...

Écoute, écoute : un vrai film de suce-pinces ! Tu sais, le coup de théâtre qui te cisaille à bout portant au moment z'où. Le côté : « L'assassin, c'est... » Et le gus qui allait cracher le morcif moule une bastos entre les étiquettes !

Kif-kif pareil, je te dis.

A l'instant où il prononce cette phrase qui se veut révélatrice : « On l'a embarquée pour... », la lourde de la sacristie s'ouvre à la volée et un nergumène pistoletté défouraille gaiement.

Mon blessé s'en dérouille une derrière la tronche, une chouette qui lui traverse le crâne via le cerveau et lui ressort par l'œil droit pour aller trouer un tableau représentant saint Joseph enseignant à Jésus comment mortaiser une pièce de bois pour lui permettre de recevoir le tenon. Eh bien Joseph se biche une prune au moins de 11 mm dans la coiffe. Pas de bol, hein ?

Mais j'ai pas le temps de m'étendre sur les dégâts, je préfère m'étendre sur le plancher, tout contre le burlingue ciré. En combien de temps dégainé-je-t-il ? Pas discernable. D'autres bastos pleuvent dans la sacristie. Le pauvre saigneur, architroué, raisine de plus en plus. Il a chu de sa chaise, pif en avant, me faisant sans le vouloir un rempart de son corps, comme on dit dans la littérature mineure.

Et bibi, stoïque, animé d'invincibilité[1] chronique, de coucher en joue le petit nuage bleuté qui se constitue devant le tireur. Je largue le potage une fois, deux fois. Le tir d'en face cesse. L'homme s'abat comme les chênes qu'on. Sa gueule éclate sur le sol; faut dire que mes dragées l'avaient déjà pas mal fissurée. La sacristie ressemble à présent aux abattoirs de la Villette.

D'un bond félin me revoilà à la chère verticale, position dont on ne se lasse pas.

J'enjambe, je réenjambe, passe dans l'église. Me ravise, reviens mettre mon feu d'occase dans la main de mon ex-blessé (qui a monté en grade puisqu'il est mort maintenant). Pas de regrets : le chargeur est vide et je n'ai pas le temps d'aller à l'épicerie acheter des pruneaux de rechange.

Je m'aventure jusqu'à la porte cashère de l'église. Je pige que le complice de mon blessé n'a pas eu de mal à suivre notre trace : un filet de sang continu balise notre chemin. Je stoppe, près du bénitier, me demandant s'il est prudent de filer par la grande porte. L'homme que je viens de repasser à l'amidon n'a pas dû venir seul, probable qu'un autre gazier l'attend au volant d'une tire, faisant le pet à l'extérieur.

Mon regard tombe sur un grand tableau qu'éclaire la lune rougie par le vitrail; il représente un ange « grandeur nature », si tant est qu'il existât des anges. Moi je trouve ça répugnant, un être à forme humaine avec des

1. Le seul mot de la langue française qui comporte cinq « i ».

ailes. T'imagines cet organe couvert de plumes dans un dos d'individu ? Ça filerait la gerbe à un iguane ! Ma pomme, un ange se pointerait pour m'annoncer que je dois aller sauver la France dard-dard, je me taillerais les coudes au corps malgré mon patriotisme exacerbé.

Pourtant, il a l'air bienveillant avec mézigue, celui du portrait, dans sa belle robe azur et doré. Il semble m'adresser un signe du doigt, sans blague. Il me désigne, non pas le ciel, ce qu'a probablement voulu le peintre, mais la tribune des orgues. Et son regard est si présent, si péremptoire, que je m'engage dans l'escalier en collier de maçon, non sans avoir ôté mes escarpins.

Tu vas mesurer comme je suis un triste fumelard, de déblatérer sur ce messager de Dieu, car, à peine ai-je atteint la galerie que j'entends la porte s'ouvrir, un double pas réverbéré par la voûte retentit. De ma position perchée je vois pénétrer deux mecs en sombre. Dis voir, c'est un bataillon cette bande tracassière qui « s'occupe » de la mère Van Trickhül. Quand y en a plus, y en a encore !

Les deux survenants inspectent rapidos et vont jusqu'au chœur, attirés par la lumière de la sacristie.

Ils découvrent le paysage.

L'un s'écrie « O Seigneur ! » en anglais, exclamation tout à fait conforme au saint lieu ; l'autre hurle « Putain de sa mère ! » en italien, ce qui est moins orthodoxe.

Ayant ainsi souscrit aux impétuosités de la stupeur, ils tiennent un rapide « concile à bulle », comme dit volontiers Bérurier. Il en ressort qu'ils estiment que je dois me trouver encore dans l'église car ils prennent en main leurs rapières et rebroussent chemin en visitant les confessionnaux. Ne m'y ayant point trouvé, ils vont à l'escalier que j'ai emprunté et s'y engagent. Ma chance est qu'ils l'empruntent à l'unisson, pratiquement collés l'un à l'autre.

Pour Bibi, la fiesta continue. J'empoigne à deux mains le lourd tabouret pivotant de l'organiste, en chêne massif, et m'approche de l'escadrin. Le coin est propice car une ombre épaisse me protège.

J'attends avec sérénité la suite des opérations. Bientôt, la tête du premier gars surgit au dernier virage des marches. Je maîtrise ma fébrilité. Pas d'impatience, tu le sais, mais le calme engendreur du succès.

Il faut que le second bandit se trouve dans l'alignement de celui qui le précède si je veux jouer aux dominos avec eux.

Je tiens le tabouret dressé au-dessus de ma tête, à bout de bras. Il pèse au moins quarante kilos, le bougre. En tout cas trente-neuf cinq cents !

Ça y est, je tiens mes deux bustes. C'est le moment, c'est l'instant, Armand. Gare aux taches ! Vraoum ! De toutes mes forces ! *Mamma mia*, ce grabuge ! Le premier de cordée chope le meuble en pleine poire ; ne dit pas une broque, mais se trouve catapulté à la renverse contre son camarade.

Y a cascade de viande dans l'escadrin, fils ! Le second bieurle aux petits pois vu qu'il doit, en dévalant, émietter sa colonne vertébrale.

Bibi n'attends pas le résultat des courses pour descendre quatre à quatre les marches en forme de boomerang, une main coulant sur la rampe vernissée.

Je saute à pieds joints sur les deux corps enchevêtrés. Le ziguche qui fermait la marche me reçoit plein cadre car j'ai à-piedjointé sur sa poitrine.

Quatre cerceaux de nazes, plus deux de voilés. Il est out, cherchant à renouer des relations privilégiées avec l'oxygène ambiant.

Je ramasse son feu qui gît sur les dalles et cette fois m'esbigne par la grande porte non sans avoir adressé un grand merci à l'ange.

SAMEDI

SZENTENDRE, 5 H 15

Comme dit Patrice, les restaurateurs chinois ont inventé des aromates qui ont le goût de moisi et dont il saupoudrent les denrées fraîches afin que les clients ne s'aperçoivent pas qu'elles ont le goût de moisi. Eh bien, c'est une odeur de condiment chinois qui fouette mes naseaux.

Je m'arrête pour humer. Me trouve dans une venelle cacateuse encombrée de poubelles effrayantes par la teneur des résidus qu'elles hébergent. En contrebas, à l'endroit où la ruelle comporte des marches, j'aperçois une jeune fille asiate drapée dans un peignoir de soie rouge à motifs noirs qui coltine un seau. Comme elle m'a vu, je prends le parti de lui sourire et m'approche d'elle, avec l'air avenant du représentant en livres qui vient chez un chômeur longue durée pour lui proposer les œuvres complètes de Marcel Proust reliées en peau de burnes.

Je lui bonnis que je suis en panne avec ma voiture et est-ce qu'il y a un garage dans le pays?

Elle ne parle que le hongrois et un peu le cambodgien moderne, mais on s'en sort. Elle me raconte comme quoi les garages sont fermés jusqu'à lundi. Et comme elle a la bosse du commerce (elle en trimballe même deux petites sous son kimono), me propose une chambre à louer. Voilà qui tombe à trèfle (toujours à pic, ça fatigue).

Je me permets de penser qu'il serait bon pour ma santé de me soustraire aux vicissitudes de la circulation pendant quelques heures ; en vertu de quoi je me laisse driver en une maisonnette malodorante (pour mes délicates narines), occupée par un vieil homme qui ressemble à un magot taillé dans l'ivoire et une femme rousse aux yeux fauves couverte de taches de son. Surprenant personnage que cette dernière ; on la devine consécutive à l'accouplement d'un Européen et d'une Asiatique (ou lycée de Versailles), sa peau est blanche, mais les dominantes de son visage, ainsi que la forme de ses yeux sont asiates.

La petite sauvageonne au seau roucoule des trucs ayant trait à moi, la femme (qui doit être sa mère) acquiesce et me sourit, puis me fait signe de la suivre jusqu'à un escalier en forme d'échelle de meunier, laquelle me hisse dans un grenier aménagé en chambre. C'est passablement meublé en bambou, paille tressée et décoré de tissus soyeux et d'objets de bazar *made in Hong Kong*. Le lit est un matelas sur un treillage drapé d'une couverture bariolée. Une coiffeuse ancienne, dénichée probablement chez un brocanteur, sert de lavabo : cuvette de faïence, broc. Le tout se prête mal à des ablutions poussées ; disons que c'est là un petit lave-bite pour sous-lieutenant d'avant la guerre de 14.

La dame rousse parle un brin d'allemand. Elle me demande si ce logement me convient. Je lui réponds que j'en rêve depuis ma première communion. Elle s'informe de ma nationalité, je ne lui cèle pas que je suis français d'un bout à l'autre et ça n'a pas l'air de la contrarier, bien au contraire. J'ajoute que je suis descendu à Budapest et que, revenant d'une visite chez un ami, ma voiture a coulé une bielle ; je préfère attendre lundi à Szentendre.

Je lui déclare être fourbu et avoir besoin de repos, ne

m'étant pas couché de la nuit. Elle s'incline avec un sourire large comme un peigne de danseuse espagnole et me laisse.

Là, je peux te l'avouer, le gars Mézigue, fils unique et donc préféré de Félicie, défaille. Tu sais que les émotions violentes ajoutées à l'insomnie, te ruinent la carcasse d'un mec ? Je me dessape en moins de temps qu'il n'en faut à un bègue pour le dire, me mets complètement nu, vais tirer les rideaux obstruant la lucarne afin qu'ils joignent bien et m'enquille sous la berlue. Y a pas de draps au plumard, mais j'en ai rien à secouer.

Un bon moment durant (ou dupont), je perçois le bruit grignoteur que produit une espèce de petit métier à tisser dont se sert le magot d'en bas. J'ignore ce qu'il fabrique comme chinoiserie, ce gus. Qu'importe ? Chacun sa merde !

DIMANCHE

SZENTENDRE, 2 H 40

Vingt-quatre plombes sans licebroquer, faut le faire.

Je me réveille en rêvant encore que je me trouve dans un wagon bondé du métro et que je compisse les autres voyageurs. Ils ne se fâchent pas. Drôle, non ? Ya même un gros monsieur dont le cou fait des plis qui abaisse son *Parisien Libéré* pour me regarder purger l'eau du radiateur avec un sourire gentil, style : « Ça soulage et ça ne coûte pas cher, hein ? »

Je me lève et me pète la tronche contre le toit mansardé. Enfile mon slip pour descendre à la recherche des gogues. En bas, le magot est allongé sur une natte, avec une couverture de grosse laine. Il dort, le nez pincé ; ses yeux clos ressemblent à deux boutonnières de pardessus neuf.

Sans bruit, j'ouvre une lourde ; manque le bol, elle donne sur une chambre où les deux femmes sont couchées dans le même lit grabataire. Ce faisant, je réveille la rouquine ; la voilà qui se dresse sur un coude.

— *Lavatory, please ?* ? Je chuchote.

— *Out* !

Dehors ! Charmant. Nu-pieds, je gagne la cour où une petite cabane à la porte percée d'un cœur m'attend. Début de miction : mesdames, mesdemoiselles, messieurs, bonjour.

Sans me lâcher Coquette, je regarde ma montre. Deux heures quarante ! Du coup, mon brise-jet fait une embardée ! Est-il possible que j'aie roupillé toute la journée de samedi, plus la nuit du samedi au dimanche (aux dix manches) ? Ce n'est pas la première fois qu'il m'arrive une mésaventure de ce calibre ; dans les cas d'extrême fatigue, je me suis parfois payé deux tours de cadran.

Le petit matin est froid comme les fesses de ta femme quand elle ne couche pas avec moi. Le jour prochain s'annonce mal : un ciel bas, noir et boursouflé. Aussi sot que ça puisse sembler, je tombe encore de sommeil, aussi retourné-je remettre ma carcasse dans sa niche. Je somnole un brin, puis ma lucidité entreprend de débloquer en m'apportant force pensées affligeantes.

Je pense à Béru. S'est-il remis ? A la baronne : où est-elle ? Que lui a-t-on fait ? Aux spadassins que j'ai laissés sur le carreau : quel ramdam en a consécuté ? Je pense à mon pauvre taxi qui aura veillé pour la peau ! Je pense plus fortement encore à Berthe, qu'en est-il advenu avec mes combines à la mords-moi-le-zob-sans-m'écorcher-le-mandrin ? Et le brave Pourrinet et sa compagne, comment se tirent-ils de cette béchamel où je les ai flanqués ?

Tu comprends qu'avec ce paquet de questions merdiques sur la coloquinte, ma quiétude bourgeoise s'effiloche.

Les marches de l'escalier geignent et l'hôtesse rousse apparaît, portant un plateau. Elle est vêtue d'une chemise de nuit flottante qui me fait regretter le non-éclairement de la pièce car il doit y avoir des petits trucs marrants à retapisser sous le voile. Surtout à cette heure plus que matinale où les queues sont raides.

Elle s'agenouille près de mon lit et dépose son plateau sur le sol. Je découvre une théière, une tasse, du sucre et des sortes de beignets froids qui sentent l'huile de vidange d'un vieux tracteur. Elle me sert avec un rien de dévotion. Je m'empare de la tasse chaude, souffle sur le breuvage parfumé au jasmin.

Gentille fille. Elle reste assise sur ses talons à me regarder comme si j'étais le cousin germain de Confucius en tournée d'inspection.

Je demande son nom à la chère femme, elle me dit s'appeler Gnô-Ki, ce qui est un très joli blase, je trouve ; pas toi ? Je la questionne sur sa vie. Intéressante. Le vieux du bas, c'est son père. Il l'a eue avec une Irlandaise, laquelle est partie du foyer alors que la môme était encore en bas âge. Il l'a élevée entièrement à la main, puis quand elle a été grande, lui a fait un enfant car il est d'une province où l'inceste constitue un art de vivre. La petit mignonne qui m'a racolé est donc à la fois sa fille et sa sœur. Sympa.

Pour lui faire plaisir, je croque un beignet. C'est bien de l'huile de graissage, mais pas de tracteur : de pompe à merde.

Sa posture de prieuse me permet une vue plongeante sur sa poitrine. Charmante. Pas grosse, bien faite, plutôt drue.

J'y porte la main, elle a un sourire de bienheureuse. Alors je la prends par l'épaule pour l'attirer à moi. Elle semble n'avoir attendu que cette invite pour se déclencher !

Un vrai feu d'artifesses ! J'en suis baba ! La langue de caméléon au grand chauve à col roulé, le pèse-couilles de velours, le casse-noix de la rivière Kwaï, le ouistiti mongol, la grande muraille d'échine, le dragon perché, et bien d'autres voltigeries sexuelles de ce tonneau, tout y passe. Un pur régal ! Son esprit d'invention n'a d'égal que sa souplesse ! De quoi mourir de plaisir. Je meurs. Elle me ranime au bout de quelques minutes pour m'informer qu'il y en a pour cent dollars au compteur.

Tiens ! Une pute ! Je n'avais pas encore compris. En tout cas sa prestation vaut la somme réclamée, aussi réglé-je sa facture avec beaucoup de parfaitement : j'en ai eu pour mon argent.

Ensuite de quoi : un nouveau sommeil réparateur pour me reglander l'organisme.

J'en ai de suaves, moi, de tirer des guêtres et de roupiller pendant qu'a lieu cet embrouillamini ! Mais un homme c'est comme ça, que veux-tu ! Des faiblesses, des non-sens, des dérobades inexpliquées. Au bout du compte, Dieu reconnaît les siens si eux-mêmes ne se reconnaissent pas. Tu vas m'objecter que Dieu j'en prends à mon aise et qu'Il n'existe probablement pas. Je veux bien ; mais s'Il n'est qu'une longue illuse, y a bien quelqu'un ou quelque chose qui fonctionne à Sa place ! Je te prends notre corps, par exemple : cette perfection absolue ! Ce fabuleux assemblage de chair et d'os, de glandes, vaisseaux, organes ! Cette minutieuse machine à vivre, où tout est prévu, réglé, ajusté. Ce machin à peindre la Joconde, à découvrir l'Amérique ou la pénicilline, à marcher sur la Lune, à parcourir cent mètres en moins de dix secondes, à écrire des San-Antonio, à guillotiner Landru, à réclamer la Légion d'honneur, à l'accorder, à bénir les foules, à les exterminer, à faire d'autres hommes, à inventer des dieux, à mettre en boîte les œufs des esturgeons, à balancer des bombes atomiques, à bâtir la chapelle Sixtine, à rire, à pleurer, à aimer.

Cette extraordinaire invention, tu ne vas pas me raconter qu'elle est fortuite, qu'elle est devenue amphibie, a vaincu les dinosaures, la peste noire, Adolf Hitler, pour que rien du tout ! Pour la peau ! Pour que « juste comme ça ». Il n'est pas tolérable, voire simplement pensable, qu'une telle réalisation reste gratuite, accidentelle. Y a une intention profonde dans tout ce bigntz, bordel ! On ne fabrique pas des montres de précision pour les balancer dans la gueule ardente d'un haut-fourneau. Une aussi terrifiante harmonie, c'est sacré ! Tu ne la romps pas en stoppant les battements d'un cœur ! Dieu, c'est nous, merde ! C'est toi, c'est moi, puisqu'on n'a rien voulu et qu'on *est* bel et bien. Charognards, souvent, mais incontestables.

Après nous le déluge ? Fume, mon con ! Trop facile. Après nous la comédie continue, sans archanges ni trompettes et j'ignore dans quelle dimension, mais on n'est pas quitte parce qu'on a un petit jardin sur le bide. Oh ! que non. Tu verras, toi qui ris sous cape (ou sous capote anglaise) de mes délirades. Tu verras ta gueule à la sortie des artistes ! La manière dont tu t'ébroueras et dont volera en éclats ton scepticisme. Peau de zob ! Celui qui prétend faire « sans Dieu », eh ben il « fait sans Lui ». Et tu vois, je mets une majuscule à ce Lui tellement je suis sûr de mon fait.

Mais quoi, on n'est pas là pour philosopher à la graisse de canard boiteux. Ce qui t'intéresse dans l'Antonio, c'est l'action, le cul et les calembredaines. On y va, mon pote, on y va !

Y en aura pour toutes les bourses.

DIMANCHE

SZENTENDRE, 7 H

Bon. Cette fois, quand je débonde mes lampions, je sens que j'ai mon taf de ronflette. Je suis fraise et dix pots, comme dit Bérurier-le-Grand.

Le sentiment d'une présence me met sur mon séant de service. J'avise la petite Chinetoque du début, fille et sœur de mon « hôtesse de secours », assise sur la dernière marche de l'escalier et qui attend patiemment mon réveil.

Elle me considère avec un intérêt indiscutable et, j'ajouterai, mérité.

— Bonjour ! lui modulé-je en trois langues.

Aucune ne lui convenant, elle me répond d'un triste sourire à la Cosette. Alors je tends la main vers elle, avec tendresse. Je la trouve touchante, cette adolescente.

Elle prend mes harnais posés sur un dossier de chaise et les apporte sur ma couche en m'indiquant que je dois me fringuer.

Intrigué, je l'interroge des sourcils que j'ai particulièrement expressifs.

Tu sais quoi ?

— Police ! elle articule.

Je cherche à piger. Ses gestes intelligents et quelques mots de hongrois abâtardi me font comprendre que la gentille Gnô-Ki est allée quérir les draupers à ma santé.

Pendant que je roupillais, le massacre de la Saint-André a dû faire un sacré cri, mon signalement a été virgulé et on me recherche. Le bouquet!

Je me reloque en tentant de gamberger utile. Je déteste m'habiller sans avoir fait ma toilette. Même pour l'éruption du Vésuve qui anéantit Pompéi, je me suis rasé avant de partir.

Pendant que j'usine, elle s'esbigne en cabriolant chevrette et revient avec une sorte de grande blouse grise et une vieille casquette éculée dont la visière ressemble à un toit de pagode écroulaga. Elle me force (positivement) à m'affubler, sort ensuite de sa poche une paire de lunettes à monture de fer et verres noirs et m'entraîne.

En bas, le vieux gît toujours sur sa natte, son souffle court n'a pas l'air de longue durée. Cosette s'empare d'une canne blanche abandonnée dans un angle de la pièce, puis me prend par la main et nous sortons.

Un peu géniale, la gamine! Je vais chiquer à l'aveugle et elle figurera mon guide. Si la mère Gnô-Ki est réellement une balance, y aura du tirage entre elles deux par la suite.

On marche à petits pas dans la périphérie de la petite ville. C'est l'instant où les boutiquiers, marchands de bimbelotaille, commencent à préparer leurs étaux (ou étals si tu préfères le purisme).

Beaucoup de forces de police. Des véhicules de la Rousse stationnent aux carrefours. On avance tranquillement. Mais pour aller où? Il est dans un bioutifoule merdier, ton Antonio chéri! Totalement coupé de ses aminches, avec la police hongroise au panier. D'ici que ces cons de Magyars me seringuent sans sommation, y a pas la largeur de l'Amazone, espère!

Garce de Gnô-Ki! Elle m'essore la laitance, me réclame cent dollars. Puis, ayant appris ce qui se passait à Szentendre, et en tirant des conclusions, fonce me dénoncer aux poulardins !

A un moment donné, nous voilà hors de l'agglomération. Sur notre gauche, le beau Danube bleu ! Enculé de Strauss ! Il était daltonien ou quoi, ce nœud ?

La môme qui continue de me tenir par la main s'arrête brusquement et me demande :

— Budapest ?

Elle désigne un panneau marquant un stationnement de bus.

— *Ja* ! que je lui réponds.

Car ma seule façon d'espérer m'en sortir c'est d'aller trouver les plus hautes instances policières pour tenter une mise au point que je devine pas fastoche du tout.

La Jaunette opine, satisfaite.

Nous poireautons dans l'aigre bise soufflant du nord. J'aimerais la remercier pour son action réparatrice qui compense la vilenie de sa maman. Mais comment ? Pas de vocabulaire à disposition. Du fric ? Ça la fâcherait. C'est un esprit trop droit.

Alors, profitant de ce que nous sommes seuls, je lui saisis le menton et pose mes lèvres sur les siennes.

Elle fuit le baiser comme s'il l'écœurait. Trop aimable !

Là-dessus, le bus se pointe ; un gros véhicule jaune et vert (d'un vilain jaune et d'un vilain vert). Tu croirais entendre arriver des politicards avec toutes leurs casseroles accrochées au fion !

Je tends la main à la petite Chinetoque :

— Grand merci, ma puce. Toi, tu es moins salope que ta mère.

Mais au lieu de serrer cette valeureuse dextre qui a pressé tant et tant de détentes et de clitoris, d'un saut de cabri elle bondit dans le car et me tire à l'intérieur.

Elle a décidé de m'escorter jusqu'à Budapest, la mignonne. Un rêve ! Elle est confondante de gentillesse.

Le tas de ferraille se remet en branle.

Ça fouette un peu le corps négligé. Peut-être est-ce ma propre odeur qui m'incommode ? La viande a vite fait de se vicier : deux bains ratés et tu te mets à renifler le clapier.

Bientôt, on s'écarte des rives du Danube et on passe devant des ruines. Ils sont allés partout, ces Romains ! Note que de nos jours ils continuent d'essaimer à travers le monde, mais au lieu de bâtir des aqueducs et des remparts, ils construisent des pizzerias. Question d'époque.

Pendant que le véhicule brinquebale (ou brimbale), je me fais un topo de mon futur immédiat. Peu *clean*, j'admets. La seule manière de m'en sortir, c'est de regagner le *Hilton* et de téléphoner de toute urgence à mon ministre de l'Intérieur avant qu'on vienne me serrer, pour lui demander d'intervenir en ma faveur auprès de son homologue hongrois. Piètre fin d'enquête non solutionnée ! Je vais passer pour un drôle de foireux et on risque fort de me retirer mon beau fauteuil directorial. Il maquillera quoi t'est-ce, ton Sana, après son limogeage ? Il va aller faire de la tapisserie dans un commissariat d'Aubusson ? Des bêtises à Cambrai ? Déberlinguer des pucelles à Carpentras ? Se balader en calissons courts dans les alcôves d'Aix-en-Provence ?

Le bus contourne la place des héros où se dressent, autour de la colonne, les statues romantiques des sept chefs de tribus hongroises de la conquête magyare. Impressionnants, ces Gaulois d'Europe centrale. Des envahisseurs comac, on n'en fait plus. Désormais, c'est des petits hommes verts débarqués d'une soucoupe, ou bien des gaziers astronautiques aux scaphandres aluminium qui se chicornent au rayon laser et s'entre-pulvérisent l'engin spatial.

Le lourd véhicule enquille l'avenue Hétazor Elbalbor pour gagner la gare Terminütz.

Tout le monde descend. Je gagne les gogues de la gare pour y ôter ma gapette, ma blouse et mes lunettes d'aveugle. Je rends le tout, ainsi que ma canne blanche à la môme.

— Comment t'appelles-tu ? je lui questionne comme je peux.

Elle est pas dérangeante.

— Li ! répond-elle.

— Très joli, complimenté-je, et puis il est facile de se le rappeler. Tiens, voilà cent dollars, retourne chez toi, mon petit cœur !

Mais elle refoule ma paluche généreuse. J'ai beau insister, elle ne veut pas un laranqué de ma pomme. Ça m'alarme.

— Tu as de l'argent pour reprendre le car, mignonnette ?

Elle négative de la tête.

— Tu ne vas pas retourner à Szentendre à pincebroque !

En manière de réponse, la voilà qui saisit mon brandillon, marquant fermement qu'elle refuse de me quitter.

— Tu es assez unique dans ton genre, déclaré-je. Bon, ben viens ; après tout, c'est ton problème, ma petite grand-mère !

Et nous gagnons la file des taxis.

SAN-ANTONIO

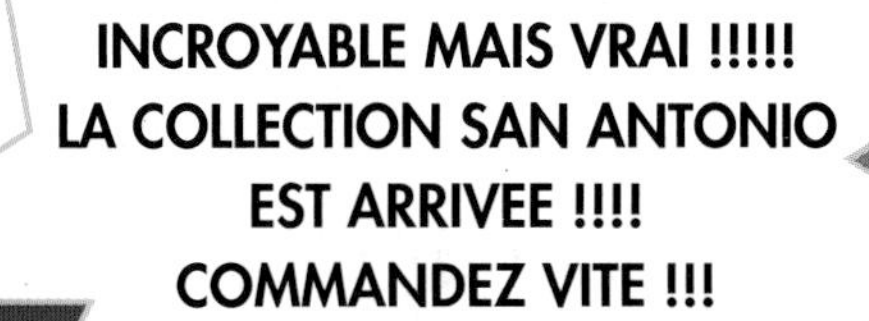

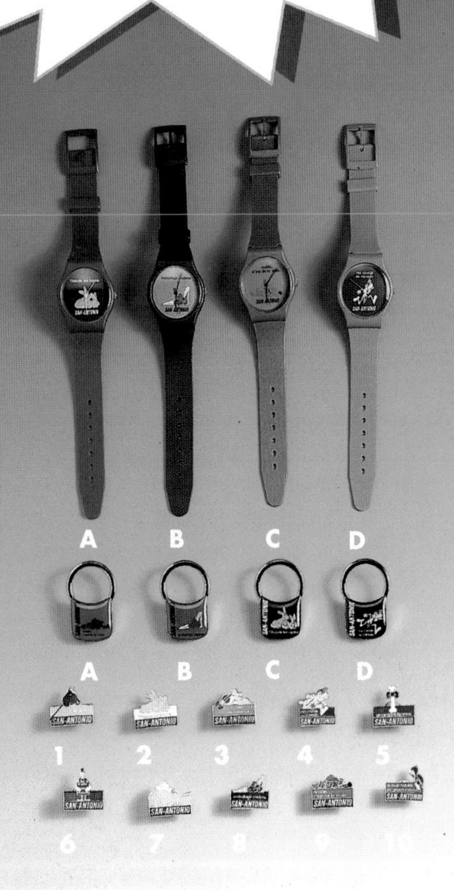

LIVRAISONS GARANTIES SOUS 15 JOURS

BON DE COMMANDE

MONTRES					TOTAL
A	B	C	D	170, 00FF × =	
PORTE - CLES					
A	B	C	D	50, 00FF × =	
PIN'S					

1	2	3	4	5	6	7	8	9	10	24, 00FF × =	

LES 10 PIN'S	200, 00FF × =	
TOTAL		
Participation aux frais de port		35, 00FF
TOTAL GENERAL		

☐ Ma commande dépasse 300,00FF, merci de m'envoyer mon cadeau surprise!

Nos montres sont garanties un an.

NOM : ....

PRENOM : ....

ADRESSE : ....

....

CODE POSTAL : .... VILLE : ....

MODE DE REGLEMENT :

☐ Chèque ☐ Mandat - carte

REGLEMENT A L'ORDRE DE :

HAPPY VALLEY
B.P. 228
75 464 PARIS CEDEX 10

Offre valable pour la France métropolitaine dans la limite du stock disponible jusqu'au 31 Décembre 1993.

DIMANCHE

BUDAPEST, 9 H 8

Ce qu'il y a de bien, dans les palaces, c'est qu'on t'y fout une paix royale. Avoue que je suis gonflaga de regagner mon hôtel après y avoir découvert un cadavre puis en avoir confectionné plusieurs autres (en état de légitime défense, certes, mais va le prouver).

Je grimpe jusqu'à ma piaule, escorté de ma petite sauvageonne asiatique et la fais pénétrer en un lieu dont elle ne soupçonnait même pas qu'il pût exister. Li au pays des merveilles ! Elle reste pique-plante (comme on dit chez nous à Bourgoin-Jallieu), regardant tout avec admiration, crainte et incrédulité.

S'enhardissant, elle s'avance vers les meubles, les murs, les tableaux, caressant chaque élément du bout des doigts en proférant des petites exclamations d'oiseau en cage dorée. Charmante image qui me fait oublier un instant les heures critiques que je traverse.

D'une main, je cueille la taille de la frêle enfant. Son odeur musquée me chavire. Si sa dame maman-sœur fait la pute, elle doit bien avoir des connaissances en la matière, non ?

Mais une nouvelle fois, elle se dérobe, comme une pouliche devant l'obstacle.

— Ti, lui dis-je en prenant place sur le lit, viens ici !

— No Ti : Li ! rectifie-t-elle.

— Je me suis souvenu de la moitié de ton nom, objecté-je-t-il, ça n'est pas si mal.

Comme ma main brandie lui adresse un appel pressant à partir de ses secondes jointures, elle approche. Je la réempare, obstiné. La chérie ! C'est un rien, un souffle, un rien ! comme dit la chanson de ma grand-mère. Un étui à épée ! Elle est plus que mince : ténue ! Presque inexistante. Calcer cette frêle fille relèverait du viol. Mais pourtant, voilà qu'elle prend l'initiative, après ses fuyances précédentes. On se demande parfois ce qui se passe dans le cigare des gonzesses !

Toute seule, comme une grande, et avec un maximum d'efficacité, elle me renverse en travers du page, me dérasurelle le javelot Olida que sa manœuvre met illico au beau fixe (et à la barre du même nom). Te m'enjambe, cré bon gu, kif une amazone en tutu, décapscule son moule à gaufre avec prestesse et commence à m'engouffrer le Frédéric. Ces délices ! S'en faut d'un rien. Une pointure de trop et je loupais la gagne ! Dans le prêt-à-porter, tu peux pas trouver plus ajusté. Quand je te parlais d'étui, y a un instant, je ne faisais que devancer la réalité. Un étui à bite, mon gamin. Cuir de Cordoba lubrifié ! Assoupli, doux comme de la soie ! Me chevauche à la tibétaine, bien verticale du dos ! Flexion impec ! Genoux à l'articulation parfaite.

Une œuvre !

Son mouvement s'intensifie progressivement. Galop dans les steppes de l'Asie centrale ! Elle arpente à fond de train les folles étendues de l'amour en liberté. La mère Gnô-Ki ? Une octogénaire percluse de rhumatismes, en comparaison.

C'est tellement inattendu après son attitude craintive !

Douche écossaise ! Douce écossée ! Un merveilleux revirement de l'amour qui, au début, tente de se protéger, et puis qui cède à l'instinct.

Au plus voluptueux de son lent va-et-vient, et bien que le plaisir me close à demi les yeux, je distingue une ombre sur le mur. Très grande car elle est projetée par la lumière du couloir. J'en tire illico une conclusion primordiale : la porte est ouverte. L'ombre disparaissant, j'en tire une seconde : la porte est refermée. Je tords ma tronche pour tenter de voir où nous en sommes.

Je vois.

Pas fameux.

Un mec s'est introduit dans ma chambre et il tient un goupil-mains-rouges devant soi. Je te rappelle qu'un goupil-mains-rouges est une mitraillette très courte, possédant la forme d'un instrument à vent de la famille des saxhorns et qui a la faculté de cracher quarante-deux balles en moins de deux secondes, ce qui permet un joli tir groupé. L'appareil en question est muni d'un silencieux extrêmement performant. Il largue son magasin sans faire plus de bruit qu'un Moulinex moderne.

Tu connais ma particularité mentale qui me permet de fourrer un maximum de pensées dans un minimum de temps? Là, je me dis, en vrac, mais impétueusement, qu'il ne me reste pas plus d'un dixième de seconde pour agir, car ce visiteur un temps pestif (Béru dixit) a déjà l'index sur la détente. Si je ne mets à profit ce délai, ma Félicie deviendra veuve de son grand garçon, si je puis m'autoriser cette image, « à connotation incestueuse », diront d'aucuns que j'emmerde à pied, à cheval, à skis et en 600 SL Mercedes gris métallisé, intérieur cuir noir.

Ma décision dûment arrêtée, je me livre à un coup de force phénoménal, double action. D'une violente détente j'envoie dinguer la Chinetoquette en arrière tandis que dans le même instant, je me jette hors du lit.

Crachotement significatif. Rrrrrraâââ! Comme ça; répète après moi : Rrrrrraâââ! Pas d'accent circonflexe sur le premier « a », ça altère la sonorité.

Puis brusque décarrade du flingueur.

— Ça va, Fleur-de-lotus? m'enquiers-je depuis la carpette.

Pas de réponse!

Et comment répondrait-elle alors qu'il lui manque la moitié supérieure de la tronche. Sa calotte glaciaire qui a mis les adjas comme la coquille d'un œuf-coque!

Me voilà saisi d'un tremblement nerveux incoercible.

Tu réalises, Élise? J'étais là, allongé à la pacha, en train de me faire fourbir le panais à l'huile de chatte. Et en quelques secondes, vzoum! Ma gentille compagne est zinguée. Et le brave pacha se retrouve tout seul, avec sa bite roide comme un alpiniste au fond d'une crevasse! Putain, ce qui va m'arriver maintenant? La situation non seulement n'est plus « tenable », mais j'ajouterais de surcroît qu'elle n'est plus « vivable ».

Pour commencer, je me traîne jusqu'à la salle d'eau en marbre ocre et me fais couler un bain très chaud. Curieux comme réaction, tu ne trouves pas? Mais c'est plus fort que tout ; faut que je me nettoie en profondeur et totalité (si y s' nettoie, c'est donc ton frère, dirait La Fontaine). J'y vais à fond dans le moussant. M' abîme en des nuages crépitants qui me transforment en papa Noël. Je me frotte à m'écorcher le derme. A présent, je ne bande pas davantage qu'un escargot reçu à l'Académie française.

Qu'est-ce que je vais foutre, bordel? Après cette tuerie de Szentendre et les deux assassinats survenus dans l'hôtel? Celui du peintre, puis celui de Li, ma petite Cosette chinoise?

Ma qualité de *big chief* de la *french* Rousse ne me sert plus à rien. Quand bien même je serais le président de l'arrêt public, je ne m'arracherais pas à cette galère! *Too much* c'est *too much*, mon frère! Faut passer à la caisse, ou alors...

Ou alors quoi? M'esbigner? Mettre les voiles? Me carapater? Tailler la strasse?

Après mon bain, je me rase soigneusement, si je dois me faire serrer, au moins que j'aie belle allure!

Voilà : nickel, l'Antonio. Beau à hurler!

Le plus duraille reste à faire : retourner dans la chambre où gît la pauvre petite chérie jaune.

Je quitte la salle de bains, et alors tu sais quoi? Non sans charre, ça t'intéresserait que je te raconte? Mettons-nous bien d'accord : je ne te demande pas une roupie de supplément c'est gratos, mon pote; ma semaine de bon thé!

Quatre flics! Dont deux en uniforme. Et armés tu peux pas savoir comme.

Deux sont assis : les en civil. Ces perdreaux forment un demi-cercle devant la porte de la salle d'eau. Ils m'attendent, patients comme des chancres mous.

Le chef (sitôt qu'il y a deux hommes en action, il s'en trouve un pour commander) me fait signe de lever les bras, du canon de son arme.

Pas l'instant de contester. Je plaiderai non coupable lorsque les esprits se seront calmés.

Ces messieurs examinent ma nudité, certains avec convoitise, me semble-t-il.

— Habillez-vous! m'enjoint le gars que je viens de mentionner.

J'obéis et me refringue dans un silence de crypte, un mardi (jour de fermeture des musées).

La vigilance est à l'ordre du jour et quatre canons aux calibres variés demeurent pointés sur les centres vitaux de ma personne.

Nouveau geste péremptoire du chef. Un uniformé me passe les menottes. Moi, je te signale au passage, en grande première mondiale, j'utilise le coup du poignet de force que m'a appris récemment Riton-de-la-Tour-du-Pin, un presque pays à moi qui venait de tomber pour une histoire de vol à l'arraché. J'ai un peu beurré ses mouillettes, l'esprit de clocher jouant. N'ayant pas de fleurs sous la main pour me témoigner sa gratitude, il m'a enseigné un petit truc marrant comme tout. Quand on te passe les cadennes, tu parviens, avec un peu d'entraînement, à faire gonfler les muscles de ton poignet de façon à en augmenter le diamètre de quatre ou cinq centimètres ; ensuite, tu l'as belle pour dégager ta paluche. Pas plus marle que ça. Le tout est de ne pas te faire gicler les falots des coquilles, façon constipé gavé de riz, en produisant ton effort. Rester naturel pour que le pandore n'y voie que du bleu.

Les uniformés m'emballent, cependant que les civilisés restent à pied d'œuvre auprès du cadavre.

A suivre !

DIMANCHE

BUDAPEST, 10 H 15

Franchement, ça l'affiche mal!

Juste qu'on traverse le hall de l'hôtel, voilà que nous croisons les quatre Rosbifs de l'Orient-Express. Leur stupeur en me voyant menotté entre deux bourdilles! La môme Gwendoline en reste pétrifiée telle la gonzesse de Loth après s'être retournée, la pipelette!

Je lui souris.

— Simple malentendu, mon petit cœur, lui lâché-je

Courroucée, sa vieille l'empoigne par une aile pour l'entraîner. Et bon, on sort du palace. La tire des pignoufs est à quelques encablures. Ils m'y entraînent sans ménagement comme on dit puis en vraie littérature.

Au moment qu'on l'atteint, voilà un taxi qui freine à mort à notre hauteur. Un chauffeur fou s'en arrache qui m'arrive sur le poil en hurlant, vociférant, tout bien. Je le reconnais : c'est mon driver d'hier soir, celui que j'ai laissé en carafe à Szentendre.

Je ne comprends pas ce dont il baragouine, mais le sens général m'est perceptible.

— Accrozdyl nagiare kinkénal foutrak byskornu! il hurle.

Mes deux poulardins veulent s'interposer, mais le gus est un lion furax. Il me bourre le dos de gnons soignés. Moi, je déteste, me démenotte selon les préceptes du cher Riton-de-la-Tour-du-pin, volte pour lui faire manger ses chailles d'un coup de boule. N'en profite pour shooter dans le paquet de burnes d'un condé, offre un crochet du gauche au deuxième, pas attiser les jalousies professionnelles.

Et voici donc qu'en un temps très bref, le combat cesse faute de combattants. Je bondis dans le taxi toujours ronronnant qui crache une fumée polluante en comparaison de laquelle, Tchernobyl ne fut qu'un pet d'amateur de cassoulet.

Je démarre en cata, l'accélérateur trouant le plancher. A l'arrière, y a un vieillard barbu de blanc qui ressemble à François-Joseph en plus vieux. Peut-être est-ce-t-il son cousin germain issu des pieds?

Le vioque entrave que pouic à cette substitution de conducteur et réclame des explications.

Au lieu de lui en fournir, j'enquille une voie en sens interdit, frôle un tramway, écrase une bicyclette sans son cycliste, balance une gerbe de boue sur la toilette d'une touriste hollandaise, puis chope le quai.

A l'arrière, le vioque exprime sa désapprobation dans un dialecte proche du finnois dont je lui laisse la pleine et entière responsabilité.

Je roule, klaxon bloqué. Mon rétroviseur est libre de toute bagnole policière; probable que j'ai eu un coup de génie (un de plus) en commençant cette courette par une rue interdite.

Un pont!

Je décide de l'adopter, coupe la route et une file de guindes exaspérées qui me flashent avec ensemble leurs avertisseurs dans les cornets.

Voilà le Danube franchi. Un tunnel s'offre. Adopté! Il est long, n'en finit pas. En finit tout de même. Je vire dans un parc qui domine la ville, adopte des allées incarrossables, contourne un temple d'amour où des gamins font du *roller-ball*. Une petite construction chiottarde. J'arrête « mon » bahut derrière puis, n'hésitant devant aucun sacrifice, écrase une ampoule soporifique à l'intention du cousin de François-Joseph.

Libre!

Pour combien de temps? On verra!

Ce qu'il y a de profitable dans l'action, c'est qu'elle te dispense de réfléchir. Penser est mauvais, parce que déprimant. Que peux-tu espérer tirer de positif de l'analyse de la vie?

Je repars sur la ville en adoptant des sentiers en pente vive, ponctués d'escaliers. Des oiseaux divers (et d'hiver) pépient nostalgiquement dans des conifères. Des cris d'enfants joyeux, le grondement sourd de la belle et noble cité, montent par bouffées que le vent dirige.

Je respire large. Me voilà redevenu confiant. L'avenir ressemble un peu moins que tout à l'heure à une tumeur avancée du gros côlon.

Après une longue marche vivifiante, je finis par me trouver près de la rive droite du fleuve. Et qu'avisé-je? Je te le donne pas en mille, il te faudrait trop de temps pour recoller les morceaux. Un embarcadère, mon vieux. Avec un grand et superbe bateau blanc, immense et plat, style catamaran, sorte de paquebot fluvial au luxe impressionnant : le *Mozart*. A l'animation qui règne, j'ai l'impression qu'il est en train d'appareiller. Alors, moi, tu as déjà tout compris?

Des passagers s'apprêtent à emprunter la passerelle d'accès. Cosmopolites! Vioques en majorité. Y a que des nantis en croisière, les jeunes occupent le temps à gagner le fric qui leur permettra de traîner leur viande faisandée dans de la soie, plus tard.

Je repère un vieux couple d'Allemands. Lui, Bavarois : chapeau vert avec la plume de faisan, veste de daim brodée d'edelweiss. Faut être con ; il l'est. Je note que ses billets de passage dépassent de sa poche. Entre lui et moi, un petit garçon anémique accompagné de sa maman danoise. Je lui file un coup de genou dans le dos qui l'envoie contre le Bavarois, lequel, mécontent, se retourne et le houspille. Le chiare se met à pleurer.

Rien de plus fastoche pour moi que d'engourdir subrepticement l'une des deux cartes d'accès du bonhomme.

Quand c'est son tour, le gars de la coupée qui assure le contrôle lui fait remarquer qu'il n'a qu'un bifton. Le Bavarois se palpe, je prends l'air agacé et lui passe devant en présentant son carton d'accès à bord.

DIMANCHE

SUR LE DANUBE, 13 H

C'est la première fois, me semble-t-il (mais la mémoire n'est que ce qu'elle est!) que je me comporte en passager clandestin. Fort heureusement, je possède un rouleau de dollars appréciable et je ne me sens donc pas clodo pour autant.

J'ai étudié, une fois à bord, l'itinéraire du *Mozart* : Budapest-Bratislava-Vienne-Passau. Je décide de quitter le bord à Bratislava, la Slovaquie me convenant parfaitement. De là-bas je rallierai Paris d'une manière ou d'une autre et me réorganiserai pour reprendre l'enquête à zéro. Je te fais juge : j'ai pris le dur avec un compagnon, émérite, certes, mais avec un seul. Il ne s'agissait que d'assurer la protection de Berthaga transformée en fausse baronne Van Trickhül. Et puis voilà que la fausse est en réalité la vraie et qu'une horde de tueurs intervient, butant sans merci ni vergogne jusqu'à m'entraîner dans la pire des pistouilles, à tel point que je suis obligé de mettre les pouces, moi, l'indomptable Sana, et de m'enfuir comme un péteux, sans pouvoir porter secours à mes amis.

Ai-je déjà adopté une attitude de couard? Non, jamais! Aussi rongé-je mon frein, le fiel au cœur, en me jurant d'obtenir une éclatante revanche. Lagardère! Edmond Dantès! Mais c'est des mots, tout ça! Du blabla intérieur, de la musique de chambre. Néanmoins, mon projet prend corps. En déboulant à Paris, j'irai trouver *le* président ; il m'a à la chouette, il me recevra. Je lui bonnirai mon histoire. Lui demanderai de se mettre en rapport avec l'ambassadeur de Hongrie pour m'accréditer à mort. Là, nous jouerons brèmes sur carante, l'Excellence et ma pomme. Je me ferai reconduire à Budapest en compagnie de ma garde prétorienne : Mathias, Pinuche, la Rouquine pétroleuse que son nom m'échappe et qui police aussi bien qu'elle baise ! D'autres encore : des valeurs sûres qui commencent à poindre parmi les jeunes. Et cette fois, au lieu d'agir en franc-tireur, à l'insu des matuches magyars, je collaborerai avec eux ! Oui, promis, juré.

Un peu requinqué, je me demande où je vais bien pouvoir passer la nuit. J'ai vaguement tenté de demander à la secrétaire du commissaire de bord s'il y aurait pas une cabine à louer en loucedé pour un homme marié qui aimerait s'envoyer dans les confins avec une passagère frivole, mais elle m'a sèchement répondu que *tout* était complet. Une qui est pour la fidélité dans le mariage. Elle doit être fiancée, probable.

Ce qui me réconforte c'est la perspective du bar. Je l'occuperai jusqu'à sa fermeture et, une fois qu'on le bouclera, je m'y réintroduirai, grâce à l'ami sésame et pioncerai sur une banquette. Je pourrai toujours arguer, au cas où l'on m'y découvrirait que je suis blindé.

Comme la faim me détrousse l'estomac, à l'heure du repas, je me pointe, fier comme un bar-tabac à la salle à manger. Des odeurs de goulasch, de ratatouille hongroise, de poulet rôti au sabre m'exaltent l'olfactif.

Avisant une femme seule, près de la desserte, je viens carrément m'incliner devant elle et susurre, en allemand :

— Me permettriez-vous de partager votre table, madame ? Je suis seul, moi aussi.

Elle a un léger acquiescement.

Que j'aprofite[1].

Engagement de la converse. Je désappointe : elle est la femme du violoniste qui sévit de table en table, interprétant des valses de mes regrettés camarades Chopin et Strauss, des mazurkas et autres produits musicaux du terroir (de la commode). Le merveilleux artiste est chauve comme un œuf d'autruche, avec juste des tifs dans le cou qu'il laisse pousser sur ses épaules. Il porte des lunettes de myope, son nez a la forme d'un boomerang et une éruption de psoriasis fait ressembler sa gueule à celle d'un apiculteur qui aurait eu un turbin avec ses ruchers.

Sa femme, par contre, est encore bien pour mon âge. Un peu trop grande, je suppose, mais le lit réajuste les différences. Elle a les cheveux châtains et raides qui, à elle aussi, chutent sur les épaules. Pommettes un peu osseuses, regard clair, bouche charnue, poitrine extraplate qu'on peut ranger sur une tringle à cravates, une expression languide et intelligente. M'est avis qu'elle doit se plumer avec son crincrineur.

Nous passons commande. Elle bouffe frugal. Moi, moins. Je me commande un homard canadien et des crêpes fourrées à la viande. Pour arroser, une bouteille de Bikavér (ou sang de taureau). Elle en accepte un verre pour trinquer. Je porte un toast à son charme, puis un second à notre rencontre. Chaque fois elle sourit mélanco. Comme je lui demande si ma présence à sa table risque d'indisposer son époux, elle me rassure : non, non, c'est fini entre eux, ils font même cabine à part. Si elle l'accompagne, c'est professionnellement, parce que le soir, dans le grand salon, elle fait partie, en qualité de pianiste-chanteuse, de leur formation, laquelle est réduite à deux personnes : Mina et Csaba.

1. Du verbe mettre-à-profit.

Ma pomme, une idée me vient que n'importe qui aurait, y compris toi, si ça se trouve, un jour que t'aurais sucé des allumettes. Je songe que si je parviens à séduire Mina, mon gîte de la noye est assuré.

A toi de jouer, p'tit gars.

Mon numéro de séduction doit s'accomplir mollo parce que médème est une artiste et que les musiciennes, j'ai remarqué, on ne les tombe pas comme les shampouineuses ou les vendeuses de chaussures. Faut les travailler à l'intello. Parler musique, peinture, littérature. Avoir des opinions originales sur les problèmes du monde, voire, à la rigueur, placer quelques phrases pertinentes à propos de la mort et de l'inquiétude existentielle. Les gnères du *ré mi fa do* adorent !

J'usine en conséquence, en entrecoupant de questions zoizeuses. Elle est hongroise, mais de mère autrichienne. Très romantique, il lui arrive d'avoir un orgasme sur son tabouret en jouant du Liszt, c'est me dire ! Son mari ? Un médiocre qui violone comme il scierait une bûche. Le genre brutal, frappant sa dame pour le motif le plus futile. Ils achèvent d'honorer leur contrat sur le *Mozart* et, ensuite, *ciao*, *bambino* !

Elle se produira seule, désormais ; avec sa voix, elle a déjà trouvé un engagement dans un cabaret de Munich. Son style, c'est un compromis entre la grande Marlène et Barbra Streisand ; elle travaille dans le rauque, ça revient à la mode : vague à l'âme, chair de poule, testicules fripés. Elle me montrera ça, ce soir, si je veux bien me rendre au grand salon. Tiens, elle chantera à mon intention car je parais connaisseur. Elle sent en moi l'homme qui vibre. Je lui caresse la menotte pour la remercier. Son vieux peigne en profite pour venir nous jouer *Fascination* à bout portant en couvant son ex d'un regard de Judas. Il a l'air d'un corbeau qu'on avait commencé d'ébouillanter, et puis non, tu vois.

Quand il a fini, je glisse un billet d'un dollar sous les cordes de sa viorne en lui disant de ne pas chercher de monnaie pour me rendre, que ça vaut bien ça. Son œil s'injecte de sang, mais je fais comme s'il souffrait de conjonctivite et porte la main de sa bonne femme à mes lèvres. Elle biche au point d'aller changer de slip. A toutes fins utiles (voire même inutiles), je la suis.

Bitenfer sur le chantier de naguère, comme dit Béru !

Le menton sur sa viole, le mari nous suit des yeux en moulinant *le Beau Danube bleu*, œuf corse. Sa frite ressemble, de loin, à une flaque de dégueulis consécutive à une indigestion de tarte à la framboise.

La cabine de Mina est minuscule et je dirais carrément exiguë. Le plumard est à une place, ce qui est nettement suffisant pour faire l'amour, mais un peu jeune pour faire la sieste. Une petite penderie fermée d'un rideau, une chaise, un lavabo, point à la ligne. Pour les chiches, s'adresser au fond de la coursive à droite. Mais enfin, elle constitue un terrier où je vais pouvoir passer la nuit si les actions de mes bourses continuent de grimper auprès de la chanteuse-pianiste dont le con sert tôt en sol mineur, comme disait le brave brigadier Poilala, mort à l'orée de sa retraite.

Je reste dans l'encadrement de la porte, mais elle m'invite à pénétrer. Compte tenu des dimensions de sa piaule, y entrer ne peut s'accomplir qu'en pénétrant d'abord en elle car le lieu incite au gigognisme (de Panama).

Cette virtuose, si tu entends la fourrer levrette, faut la commencer depuis la coursive et pousser fort. Personne ne se manifestant dans les environs, je noue mes bras autour de sa taille. Illico elle cambre pour faire saillir son bahut normand et torticole afin de m'offrir sa bouche par-dessus son épaule.

Valse des patineurs. Puis jeux de mains. Puis jeux de vilains. Tu sais que je suis demeuré sur ma faim avec la pauvre petite Chinoise, n'en plus, les crêpes fourrées de midi étaient chargées en paprika, alors tu juges.

Comme beaucoup de femmes longues elle a le prose un peu géométrique, Mina. Trapézoïdal, si tu vois? Quand elle se penche, tu découvres un Carlos prognathe mais accueillant. Genre jungle birmane miniature.

Je m'y aventure pour une exploration avant-coureuse.

Que sur ces entrefesses et alors que je chevauche la donzelle de fringante façon, le commandant du barlu se pointe.

Il s'arrête, intrigué par ce mouvement de va-et-vient auquel se livre un de ses passagers dans un encadrement de porte.

Du cul, je lui fais signe de s'éloigner, mais je t'en fous : il s'approche, constate et trouve la chose plaisante. Au bout de peu, il me tapote l'épaule; je l'interroge du regard. Il me montre alors sa manche galonnée de seulmaîtraboraprèdieu. Ensuite, il extirpe de son bénouze d'officier un membre parfaitement honorable et, discipliné, je lui abandonne le terrain.

Comme il a rendez-vous sur la dunette, il expédie l'affaire en vingt-quatre aller-retour, plus un aller simple course, se décamote le pompon avec la robe de la pianiste et se retire après m'avoir adressé un bref salut militaire.

DIMANCHE

SUR LE DANUBE, 22 H 50

C'est vrai qu'elle a une belle voix, Mina. Tu godes en l'entendant. Il te vient des picotis de partout. C'est rauque, déchirant, ça gutture par instants. Elle me regarde fréquemment pour me faire l'hommage de son récital. Elle chante en allemand. Je déteste ce bas dialecte pour peloton d'exécution, mais je conviens qu'il sied à certaines interprètes, dont Mina.

Son julot banni l'accompagne en pâmant sur son crincrin. Les passagers retiennent leur souffle.

Quand elle se tait, on l'ovationne. Alors elle se lève et salue. Elle porte une robe longue, noire à paillettes. Classe. J'ai envie d'elle. Ce soir, ce sera mon tour. Je n'ai pas voulu passer derrière le commandant, parce que je suis un mec qu'aime pas bouffer dans l'assiette d'un gus qu'il ne connaît pas, mais à présent qu'elle s'est refait une virginité, je compte lui interpréter un solo cosaque de ma composition. C'est pas une diva en amour et sa prestation de l'après-midi m'a paru assez neutre ; il est vrai que le commandant, question radada, n'est pas, lui, le chevalier d'Oriola. Si je parviens à l'usiner selon mes prévisions, c'est un solo de harpe que j'exécuterai sur sa mandoline à crinière !

Elle pousse une dizaine de goualantes et se casse sans avoir fait applaudir sa tarte-aux-fraises de mari.

Je douille mes trois whiskies *and* soda et cours la rejoindre.

A l'instant où je frappe, elle vient de retirer sa robe fuseau (horaire) et se montre en bas et porte-jarretelles. T'ajoutes cette vision à la voix envoûtante dont les accents continuent de me déambuler dans le cigare et tu comprendras pourquoi je la fais asseoir sur le bord de la couchette, quilles pendantes et ouvertes comme l'index et le médius du père Churchill quand il fumait son cigare.

Je l'entreprends par un écartement de culotte frondeur, libérant la partie à laquelle je compte apporter mes soins les plus attentifs. Un petit caramel sur le clito : gloup ! Elle crie déjà. Les virtuoses, crois-moi, quand ils s'expédient à dame, c'est pas du chiqué ! Faufilage de l'annulaire en contrebas, pour une promesse d'alliance imminente, et puis carrément : la minouchette détonante, avec orchestre et chœur de la cathédrale. C'est la délirade. Elle crie aussi harmonieusement qu'elle chantait. Je force l'allure. Dans le voisinage, les passagers, dopés, se mettent à grincer des dents et du sommier.

On se croirait dans un hosto de campagne après une sévère attaque ennemie : ça gémit, exhale, soupire, vagine de la poupe à la proue !

Mina émet des exhortations auxquelles je souscris fur et mesure, des supplications qui obtiennent satisfaction à l'instant même.

Jamais son chauve en plaques ne lui a fait ça. Elle en pleure d'admiration, de reconnaissance éperdue. Elle jouit en trois langues ! Un vrai triomphe pour ma pomme !

Quand la partie s'arrête, que nos corps survoltés halètent, étroitement conjugués sur la couchette de 90 centimètres de large, que de bienheureux frissons froissent nos dermes éblouis comme la brise plisse la surface d'un étang, Mina me chuchote qu'elle vient de trouver son homme, son vrai.

Elle ajoute qu'elle m'aime et que c'est pour la vie!

Merci, Seigneur, mais, franchement, je n'en espérais pas tant!

Son estomac se met soudain à bruire. C'est la méchante complainte des crocs en manque. Elle me dit qu'elle ne mange jamais avant de chanter; d'ordinaire, elle va claper une collation au bar de nuit, mais ce soir, après cette séance de cannes en l'air, elle est trop vannée pour se resabouler. Moi, tu me connais? Galant jusqu'au bout des ongles, je lui demande ce qu'elle souhaite becter, comme quoi je cours le lui chercher. Elle m'effusionne.

Un croque-*Herr* lui conviendra et peut-être aussi une pomme.

Au bar, c'est plein d'Allemands porcins qui chantent en se tenant par le bras, ne récupérant leurs mains que pour porter leurs chopes de bière à la bouche. Les grosses vachasses teutonnes ont la trogne enluminée, les nichemards en ballottage et des gueules béantes comme celles des canons à longue portée avec quoi ils bombardaient Paris lors de la Première Guerre. L'endroit pue la bibine et le parfum à cent francs la bonbonne.

Hormis les Germains, se trouvent là quelques amoureux en roucoulade et un pionard anglais raide comme sa boutanche de scotch.

Je vais au bar, commande un bloody-mary, plus les fournitures souhaitées par ma virtuose.

Le sentiment d'être regardé capte mon attention. Je décris un quart de tour et distingue un homme, dans le renfoncement du comptoir d'acajou. Je vois surtout ses yeux, l'individu en question étant noir et se tenant dans la pénombre. Outre les deux boules blanches de son regard, le consomateur solitaire produit un râtelier de carnassier large d'au moins vingt-cinq centimètres.

Cramponné à la main courante, je repte jusqu'à lui.

— Puis-je-t-il vous poser une question? dis-je-t-il.

— Je vous en prie.

— Est-ce que je rêve?

— C'est possible, admet mon terlocuteur, auquel cas je rêve également.

Je biche son verre à demi plein d'un liquide rose foncé.

— Bacardi? fais-je-t-il.

— Gagné!

— Tu t'alcoolises, maintenant?

— Thérapie contre la solitude, répond M. Blanc.

— Tu me racontes tout ou tu préfères conserver ça pour tes mémoires?

Il hoche la tête et me mate de ses énormes yeux incrédules.

— Franchement, dit Jérémie, le hasard est grand.

— Où as-tu vu le hasard, grand con sombre? Nous avons eu la même idée parce qu'on pataugeait dans la même merde et que ce bateau représente une bonne façon de s'en sortir.

— Exact.

— Allez, je t'écoute!

Il achève son Bacardi d'une glottée puissante.

— Tu le sais, j'avais décidé de te suivre comme ton ombre.

— Beau rôle pour un négro!

— Ces calembours éculés ajoutent à ta gloire, tu crois? grommelle mon pote.

Je lui caresse la tronche.

— J'aime me donner des motifs pour culpabiliser, ça accroît ma tendresse. Donc, tu me suivais, dis-tu?

— J'avais loué une voiture, aussi quand tu as affrété un taxi, avant-hier soir, t'ai-je filé jusqu'à Szentendre, ce qui m'a permis de constater que je n'étais pas seul à le faire, une grosse bagnole bourrée de types a sauté dans ta roue. Arrivé dans ce bled touristique, je me suis garé non loin de ton bahut et je t'ai suivi à distance, les mecs de l'auto ont procédé pareillement. Je t'ai vu te pencher sur Béru, puis repérer la maisonnette éclairée. Quand tu y as pénétré, je suis revenu vers le Gros pour vérifier s'il était mort. Les types discutaient près de lui. Une femme les avait rejoints, elle tenait le crachoir et paraissait même les commander. Puis ils se sont planqués dans l'ombre et ont attendu. Tu es revenu, escorté d'un type à lunettes qui t'a aidé à coltiner Béru.

« Au bout d'un moment, trois hommes de la bande sont allés prendre des armes dans le coffre de leur guinde et ont gagné la maison où vous étiez. J'ai hésité à entrer, mais je n'avais pas de flingue et j'ai pensé que ça tournerait au vinaigre pour nous tous. Alors j'ai guetté depuis une courette voisine, attendant la suite des événements. Assez rapidement, l'un des trois types est apparu avec la baronne. Il la tenait par le bras. C'est là que j'ai joué mon joker. Il y avait une pioche dans la cour où je me planquais. Je m'en suis saisi et j'ai couru à pas de singe jusqu'au couple. »

Il s'assombrit, chose que j'estimais impossible.

— J'étais dans un état second, fait-il. Je n'ai pas eu le temps de réfléchir. Vlan! De toutes mes forces! La pointe de la pioche s'est enfoncée dans la tête du gars et elle ressortie sous le menton. Putain, cette secousse! Je l'éprouverai toute ma vie! Depuis, je n'arrive plus à dormir, grand!

Je fais signe au loufiat de remettre une tournanche. Le croque-*Herr* est prêt, toiletté dans sa serviette de papier aux armes de la compagnie fluviale.

— C'est pas le premier gonzier que tu biffes, Blanche-Neige!

— De cette manière-là, si!

— Et quoi, la manière! Clamser d'un cancer du pylore est autrement douloureux. Là, il n'aura jamais su qu'il mourait! S'il était resté devant son Dubonnet au lieu de s'engager dans les troupes assassines, il serait toujours sur ses deux pattes!

Il hoche la tête, pas convaincu.

— Bon, déballe-moi la suite! enjoins-je de mon ton de chef suprême.

— J'ai traîné son cadavre dans la cour, puis je me suis chargé de la mémé. En plein cirage! Elle débigoche, raconte n'importe quoi et se met à chanter à tout propos. J'ai contourné une partie du village pour ne pas risquer de tomber sur les gredins et rejoint ma bagnole. Je venais de décider que la vieille avait priorité absolue. Tu avais à charge de veiller sur elle, je reprenais le flambeau!

— Bravo! dis-je en lui tendant la main.

On s'en malaxe dix, vite fait, bien fait.

— Où est-elle? questionné-je.

— Dans notre cabine.

— Ici, à bord?

— *Yes, Sir*. Nous avons fini la nuit dans la bagnole, au cœur d'un bois. Au matin je l'ai drivée à Budapest où on a pris une piaule dans un hôtel d'avant-dernière catégorie. Là, j'ai examiné la situation. Il fallait que nous quittions la Hongrie discrétos, sans essuyer l'examen des postes frontières. Un dépliant qui se trouvait dans notre chambre m'a fourni la solution.

Il prend son godet où un glaçon se débanquise à toute vibure, fait tinter ce volume en péril dans le breuvage et me porte un toast.

— A toi de raconter, grand!

Je raconte.

LUNDI

SUR LE DANUBE, 0 H 10

Les Allemands continuent de battre leur plein et nous d'écluser (Jérémie des Bacardis, et moi des Bloody-mary sans tomate), lorsqu'une femme lugubre vient s'accouder auprès de notre double ivresse. C'est Mina, la chanteuse-pianiste. Pas joyce de mon lâchage. Courroucée comme la mère Elisabeth II quand on lui montre les photos de la môme Fergusson en train de s'en faire mettre une de vingt-quatre centimètres par son homme d'affaires, en présence de ses chiares, larbins et gardes du corps (tu parles comme ils le gardaient, son corps, à cette pétroleuse !).

— Je ne vous espérais plus ! fait la musicienne.

Elle a le ton un brin mégère sur les bords et je me mets à me demander si, dans son divorce d'avec le clafouti-aux-fraises, les torts ne seraient pas réciproques. Parler avec ce ton à un homme qui vient de vous tirer pour la première fois, laisse présager un futur cahotique. Pas fastoche, la nénette ; avec elle, le rouleau à pâte chargé d'accueillir les époux retardataires doit demeurer à portée de main.

— Votre croque-*Herr* ! dis-je en lui montrant une double semelle enveloppée de papier satiné.

— Il est froid ! proteste la roucouleuse.

— L'essentiel est que vous, vous ne le soyez pas ! riposté-je-t-il.

— Curieuse plaisanterie, ricane-t-elle.

— C'est l'heure du calembour facile, objecté-je. Je vous présente un ami à moi.

Elle n'accorde pas le moindre regard à mon pote.

— Vous avez peur qu'il déteigne? je lui fais.

— Pourquoi?

— Vous ne prenez pas la main qu'il vous tend.

Elle ne répond rien et dit au barman :

— Jef! un croque-*Herr* et une coupe de champagne!

— Tu as sauté cette haridelle? me demande M. Blanc.

— Il fallait bien que je passe la nuit quelque part; je t'ai dit dans quelles conditions je suis monté à bord.

— Tu auras pu trouver mieux. Elle ressemble à Fernandel déguisé en gonzesse.

— Elle a une voix superbe et le coup de reins généreux, plaidé-je.

— C'est sa physionomie qui ne me revient pas : elle a une gueule de *Kapo* pour camp de concentration nazi.

De fait, vue de profil, elle n'est pas engageante, Mina. Anguleuse, avec une expression dure.

Quand le loubard lui apporte sa commande, je cigle le total de la fiesta et nous nous navalons, le négus et moi, sans prendre congé de la Marlène du pauvre.

Alors, franchement, une qui me paraît hors circuit, c'est bien la baronne. La pure gâtoche, mon drôle! La lèvre inférieure pendouillante, le regard comme deux boulettes de papier d'étain, l'air d'être la grand-mère de Jeanne d'Arc essayant de capter la voix de l'ange machin en train d'exhorter la Pucelle. Ça lui est venu d'un coup, Léocadia. En apprenant la mort de son jeune amant. Traumatisme cérébral. J'aurais dû la ménager; mais cette bonne femme, tu ne vas pas me dire qu'elle mène une vie blanc-bleu! C'est pas une héroïne de *Nous Deux* pour avoir une telle meute d'assassins aux miches! Je pressens des choses, moi! Tout ce circus, cette hécatombe, ça laisse présager, non? Je la jugeais plus forte. Sinon je lui aurais tu le décès du peintre-chérubin. Lui qui peignait des fantômes! Eh bien, il en est un, maintenant.

La daronne est écroulée dans un fauteuil. Sa cabine double est vaste, comporte deux lits, une salle de bains, un chiotte indépendant.

— Je suis obligé de la nourir, me dit Jéjé. Je lui file la becquée comme à un moutard, et aussi je l'emmène aux chiches! La corvée, je te recommande. Me voici infirmière. J'ai hâte de la refiler à une clinique. C'est curieux de la voir dans cet état, car enfin, elle n'est pas si vioque que ça! Quel âge tu lui donnes? Soixante et mèche, non?

— Regarde sur son passeport!

Le Noirpiot s'écarquille les stores.

— Bonté divine! s'exclame-t-il, son passeport!

— Eh bien?

— Elle n'en a pas; comment allons-nous faire pour débarquer en Slovaquie?

Je gamberge un moment, ce qui est duraille because mes douze mary sans bloody. Puis, j'amorce un mouvement désinvolte.

— J'arrangerai ça pendant le déjeuner de demain.

— En quoi faisant?

— En visitant les cabines des passagers, grâce à mon sésame, je finirai bien par dégauchir un passeport susceptible de convenir à cette vieille tarderie!

Il ricane :

— T'es chié, toi! Vraiment chié! J'en ai rencontré des types chiés, mais qui soient aussi chiés que toi, jamais!

Il y a longtemps qu'il ne m'avait récité sa petite poésie.

On fait roupiller la mère-grand dans le fauteuil après

lui avoir allongé les flûtes sur une chaise; on l'emmitoufle d'une berlue et on se vote à chacun un plumard.

Je suis exténué, ivre mort, déboulonné. Une vie pareille, quand t'es davantage Rimbaud que Rambo, ça te défonce l'organisme. Faudrait vraiment qu'on se prenne des vacances, Félicie et moi.

Je l'emmènerais dans un coinceteau peinard, au soleil de préférence. On emporterait notre Scrabble de voyage et boufferait de la langouste grillée arrosée de beurre citronné à tous les repas. On ne parlerait pas beaucoup, juste pour se dire qu'on s'aime et que Dieu existe puisque la mer est bleue.

LUNDI

Bratislava, 15 h

Pas qu'elle soit fringante, la baronne, mais on lui a ravalé le plus pressant : la frite. J'ai acheté des fards au drug's du bord pour qu'on puisse lui aménager un minois qui fasse pas trop sorcière et, sans passer pour un mannequin de Saint-Laurent, elle a un aspect à peu près normal.

Manière qu'on ait l'air purement touristes, j'ai également fait les frais d'un appareil photo et, sans vouloir mettre un pied dans le futur proche, je peux déjà t'annoncer que ce Nikon va avoir une importance imprévisible.

Or donc, on largue le *Mozart* sous l'œil acidulé de Mina qui ne me pardonne toujours pas mon lâchage de la nuit.

Des bus bleus nous attendent pour nous faire visiter Bratislava. J'ai pris des billets, le matin même, aux guichets du bord, et notre pittoresque trio s'apprête à faire la queue pour grimper dans les véhicules. Juste qu'on s'immobilise derrière l'énorme dargeot d'une Bavaroise frisée de blond, un militaire s'approche de moi et me salue.

— Monsieur San-Antonio ? il articule dans un français teinté d'accent centre-Europe.

— En effet, pourquoi ?

— Lieutenant Kaszec des services de police, je vous serais reconnaissant de bien vouloir me suivre.

« Et voilà, mon con, m'interpellé-je avec cette familiarité dont j'use quand je soliloque. C'était trop bioutifoul pour durer. Tu penses que les draupers hongrois ne sont pas des branques et qu'il leur n'a pas fallu longtemps[1] pour retapisser ma chaude piste ! Je vais de béchamel en court-bouillon, décidément. Quand une enquête se met à pécloter au départ, on n'a pas beau schpile pour redresser la barre. »

— Je vous suis, lieutenant.

— Les deux personnes qui vous accompagnent également.

Je vais pour lui dire « qu'elles n'ont rien à voir dans mes affaires », mais je me retiens in extremis, comme on dit en latin, car ce serait reconnaître implicitement que je suis, moi, dans la pommade.

— Allons-y, fait gaiement M. Blanc en affermissant son bras sur celui de la baronne.

Les autres passagers sourcillent en nous voyant embarqués et les hypothèses commencent à s'échafauder.

Le lieutenant Kaszec porte un uniforme jaune-pisse, avec des parements vert et jaune souci au col et aux manches. La visière de son kébour plonge à la russe devant son pif comme pour le protéger d'un soleil parti en vacances dans l'hémisphère Sud. Il a la démarche raide, le regard enfoncé, le nez un tantinet crochu.

A quelques mètres des autocars, deux voitures noires stationnent. Des Mercedes anciennes, briquées à neuf, puissantes comme des chars d'assaut. De ces tires dont

1. Note pour l'imprimeur et le correcteur : laissez cette tournure de phrase tranquille, elle me plaît comme ça. Merci et grosses bises à vos dames.

on ne refait le moteur qu'à cinq cent mille kilomètres, par mesure de sécurité. Un homme en civil est au volant de la première, deux mecs que je distingue mal à cause des vitres fumées occupent la deuxième.

L'officier ouvre une portière arrière de la première bagnole et aide la mère Van Trickhül à prendre place, cependant que nous nous entassons à son côté, Blanc et moi.

Puis, Kaszec grimpe à côté du chauffeur et le maigre cortège s'ébranle.

Tu te doutes bien que des chiées de questions me brûlent les lèvres ; je m'abstiens de les poser, jugeant le moment impropice. Du reste, le jeune officier n'a pas la gueule à entamer une converse dans de telles circonstances. Il n'est pas très plaisant, si tu veux mon avis. Je le trouve même foncièrement antipathique. Je suis un être beaucoup trop en vie pour m'accommoder des gens froids.

Au bout d'un moment, et alors que nous abordons une croisée de routes, je constate que nous ne prenons pas celle de Bratislava, mais une autre, apparemment de moindre importance, qui est celle de Hegyeshalom (un panneau indicateur est formel sur ce point).

Je rabroue ma mémoire qui finit par me confier qu'Hegyeshalom se trouve en Hongrie, de l'autre côté du Danube (en allemand Donau, en slovaque Dunaj, en hongrois Duna, en bulgare Dunàrea).

— Puis-je vous demander où vous nous conduisez, et pourquoi ? finis-je-t-il par murmurer.

— Nous agissons au nom de la raison d'État, répond l'uniformé sans même tourner la tête vers moi.

En loucedé, je chope la poignée de la portière, aussitôt, une sonnerie d'antivol retentit.

— Inutile, me déclare Kaszec, les portes sont bloquées. En outre, comme vous avez pu le constater, il y a du monde derrière nous.

Tout ça très calme, très glacé.

— Dois-je considérer cette... opération comme un enlèvement ?

Il hausse les épaules sans répondre. En voilà un qui s'économise !

Nous roulons une dizaine de minutes à peine et notre chauffeur oblique sur la droite dans un chemin qu'en France, nous qualifierions de vicinal. Presque tout de suite, cette voie retrouve le fleuve dont nous descendons le cours majestueux. La rive est plantée d'arbres aux essences confuses.

Je distingue loin devant nous un village de carte postale ; bien avant que d'y parvenir, la Mercedes abandonne le chemin pour ce que j'appellerais un sentier, dont le sol est mal stabilisé. Notre tire chasse de l'arrière et se livre à de lourdes embardées sur un sol riche d'humus. Enfin elle stoppe. Les gars qui nous escortaient viennent nous rejoindre et parlementent avec notre chauffeur dans une langue que je n'entrave pas.

Pendant ce temps, Kaszec est passé à l'arrière de notre bagnole dont il a ouvert le coffre. L'idée me vient qu'il y prend peut-être des armes et des outils afin de nous abattre et de nous enterrer dans ce coin solitaire. Mais non, à travers l'espace constitué par la charnière de la malle, je vois l'homme changer de fringues. Il se débarrasse de son uniforme qui a servi à m'impressionner et passe des vêtements civils.

Lorsqu'il a terminé sa transformation, il rabat le couvercle et déponne la lourde de mon côté.

— Venez !

Je descends, le conducteur a ouvert à mes deux compagnons qui sortent à leur tour. Mémère est guillerette, le sous-bois la rend primesautière ; elle chantonne le *Petit vin blanc*, ce qui ne la rajeunit pas. Se baisse, cueille une fleur blanche qui passait par là.

— Venez ! répète l'ex-officier plus durement.

Il donne l'exemple et se met à fouler un sol spongieux où, çà et là, sortent des touffes de plantes semi-aquatiques. De nouveau, je songe à une exécution dans un endroit propice aux massacres privés. Pourtant, aucun de ces quatre hommes n'a de mitraillette. Tu vas m'objecter qu'ils détiennent vraisemblablement des pistolets et qu'une bonne praline tirée à bout portant dans la nuque d'un pégreleux suffit à en faire un mort ? D'accord, mais cela manquerait de rapidité. Ils se doutent bien que Jéjé et ma pomme sommes deux coriaces, ils en ont même eu la preuve pour peu qu'ils appartiennent à l'équipe de Szentendre !

On arque mollo sur ce terrain instable. Et soudain, je pige. A une centaine de mètres devant nous, le Danube s'offre une espèce d'anse dans laquelle est amarrée une grosse embarcation de pêche dont la peinture bleue s'écaille. Le barlu en question est équipé d'un moteur hors-bord huileux. Une partie de l'avant est recouverte d'un taud de grosse toile grise ravaudée, soutenu par des arceaux.

Un pilote, habillé d'un pantalon de velours, d'une forte veste de para imitation léopard et d'une casquette très creusée frotte ses mains engourdies.

Personne ne se parle. On entend, apportée par le fleuve, de la musique venue de loin.

— Mettez-vous sous la toile, tous les trois ! ordonne Kaszec.

On.

Par les accrocs de la bâche, je vois les deux chauffeurs des Mercedes qui vont probablement rejoindre leurs véhicules.

Je me dis qu'il ne reste que trois hommes sur l'embarcation, y compris le pilote. Mais quelque chose remue dans cet habitacle de fortune et voilà qu'il s'agit d'une gonzesse. Une fille blonde extrêmement mince, tu ferais le tour de sa taille avec une seule main. Elle tient ses cheveux maintenus par un serre-tête noir et porte un blouson et un pantalon de cuir, plus des bottes montantes qui fileraient la godanche au portrait de Louis-Philippe duc d'Orléans, peint par Heim en 1834.

Elle se trouvait allongée dans un Zodiac de secours et, d'après ce qu'il y paraît, devait y somnoler au moment de notre arrivée.

Elle s'étire, sourit à Kaszec qui nous a suivis sous le taud, puis dit je ne sais quoi à ce vilain Fregoli, mais cela a trait à nous. Il opine, sort deux paires de menottes de ses poches.

— Stop! lui lance sa camarade à la chevelure ophélienne.

Elle prend dans son canot un pistolet-mitrailleur dont elle dirige l'orifice dans notre direction.

— Les mains dans votre dos! nous dit-elle.

Tu vois, Éloi, il existe des gens que tu ne mets pas en doute. Ils irradient la volonté absolue. D'un regard nous savons, Jérémie et moi, qu'un geste de nous serait fatal. Elle est prête à tirer; mieux : elle en a envie! Une tueuse!

Moi, j'aime pas les sadiques; je pense qu'ils ont abdiqué leur nature humaine et ça devient à mes yeux des êtres d'une autre planète.

Kaszec nous met les menottes dans le dos. Il veut agir pareillement avec mémère, mais elle ne comprend pas son ordre de présenter ses poignets.

— Vous fatiguez pas, lui dis-je, elle est tombée en enfance en apprenant que vous lui avez zingué son blondinet.

Le gars répercute ma déclaration à la fille qui sursaute et se détranche sur Léocadia Van Trickhül. Elle se met à lui parler, mais avec ses plombs sautés, la Belge est complètement en rade de converse. La gonzesse au serre-tête noir se fâche, houspille la pauvre femme qui n'en peut mais. Elle la gifle à tour de bras, à tour de main, furieuse, presque affolée. Le seul résultat qu'elle obtient, c'est une odeur effroyable annonçant que les sphincters de la dame ont lâché et qu'elle bédole dans sa culotte sous l'effet des brutalités.

Consciente de « la chose » (c'est le mot juste), la fille blonde s'interrompt pour discuter avec Kaszec. Ils paraissent paniqués par cette découverte. Selon moi, ces gens attendent beaucoup de la Van Trickhül et leurs espérances sont provisoirement réduites à néant. Si je « récabidule », que de forces engagées dans la bataille pour la conquête de cette grosse chérie ! C'est plus qu'une bande d'aigrefins : c'est une armada ! Dans l'Orient-Express, à Budapest, à Szentendre, ici... La grosse mobilisation avec application des moyens les plus sanglants. Franchement, « j'inaugure mal de notre avenir », dirait Alexandre-Benoît. Que veux-tu qu'ils fassent de nous, à présent ? On ne peut, après ce qu'il a vécu, libérer le directeur de la police française en lui disant « Que tout cela reste entre nous, au plaisir de vous revoir ».

J'ai même la certitude que nous allons la sentir passer avant de rendre notre belle âme à Dieu, car ils vont essayer de nous faire dire coûte que coûte ce que nous ignorons, mais aurions pu apprendre de la chère personne. Ça concernerait quoi, cette histoire ? Je flaire autre chose qu'une question de blé. Ou alors, il faudrait qu'il y en eût une sacrée quantité en cause ! On n'entreprend une équipée de pareille envergure que pour piquer l'or de Fort Knox ou pour s'approprier les joyaux de la Couronne britiche.

Le barlu descend le Danube en pétaradant. Il pue

l'huile et le poisson car il doit s'agir d'un véritable bateau de pêche.

Irritée, la gonzesse se dresse. Le taud l'oblige à se tenir penchée en avant. Elle sort de cet habitacle d'infortune pour se désénerver et respirer l'air du fleuve.

Je l'entends qui se met à causer dehors avec l'acolyte resté en compagnie du pilote. M'est avis, comme on disait dans les traductions américaines des premiers romans noirs, m'est avis que pour ces bonnes gens, la situation est grave en attendant de devenir franchement désespérée.

Kaszec s'est accroupi devant mémère.

Il questionne :

— Il y a longtemps qu'elle est dans cet état?

— Trois jours, réponds-je.

— Et ça l'a prise comment?

— Je lui ai dit que son jeune amant, le peintre Demongeard, avait été torturé puis assassiné. Cette nouvelle lui a causé une réaction très surprenante : elle a eu un sursaut et s'est mise à chanter. A compter de cet instant elle semble avoir perdu l'esprit.

— Elle simule peut-être? fait Kaszec.

— J'ignore si les simulateurs vont jusqu'à chier dans leur froc, noté-je.

Et je mets mon projet à exécution, sans cesser de parler. Ce qu'il est?

Je t'explique.

La mère Léocadia est allongée devant moi, si bien que, pour pouvoir l'étudier, Kaszec se tient de trois quarts, à quatre-vingts centimètres de ma personne.

Afin de te situer l'action à suivre, je précise que je suis agenouillé, les mains menottées contre mes fesses et que M. Blanc se trouve exactement en face de ma pomme, de l'autre côté du tandem Léocadia-Kaszec.

Je t'ai indiqué auparavant la manière dont, grâce aux

cours privés de Riton-de-la-Tour-du-Pin, il m'est possible de me défaire de menottes. J'opère en loucedé. Ça ne marche que pour mon poignet droit, mais c'est bon à prendre. Silencieusement, j'ôte de mon cou l'appareil photographique qui me déguisait en touriste, le saisis par sa dragonne et me mets à le faire tournoyer au-dessus de ma tronche. Ce faisant, il produit un imperceptible sifflement que je couvre de mon mieux en montant le ton. Je parle de la Belge, la façon dont il faut la faire manger, lui torcher le fion, tout ça...

Et puis j'y vais à fond la caisse. Brouahoummm! En plein sur la coloquinte. Kaszec morfle au niveau du cervelet. Il n'émet pas un cri et s'abat en travers de la mémère. Sans perdre un poil de seconde, je passe la main dans sa poche, là que je l'ai vu mettre les clés des cadennes et délivre mon second poignet, ainsi que ceux de Jérémie.

— La fille a repris son feu, pour sortir, m'indique le Noirpiot. Crois-tu que le type blond en ait un?

Je palpe les fringues du faux officier. Ballepeau.

On fera avec les moyens du bord, c'est le cas de le dire.

Justement, il y a une gaffe sous la toile, longue de deux mètres et terminée par un crochet de fer. Ça, c'est une arme!

Nous nous distribuons les rôles, Blanc et ma pomme.

Lui, le noir gladiateur, va utiliser la gaffe, moi je le couvrirai. Il se met en position de jouteur courbé, prêt à bondir. Mézigue se place dos à l'ouverture, de manière à le masquer le plus possible. Et puis je me fous à crier, comme si c'était de souffrance :

— Non... on... on! Arrêtez! Arrêtez! Pour l'amour du ciel! Hâââ!

J'y ajoute des plaintes assez bien venues. Et ce qui doit arriver se produit.

Le camarade de Kaszec s'encadre dans l'ouverture pour venir matocher. Bond de côté de l'éminent San-Antonio, charge héroïque de Jéjé, dont l'instinct grégaire de guerrier à lance revient au galop. La gaffe embroche le survenant. Le rush de M. Blanc est si violent que l'homme transpercé fait plusieurs mètres en arrière, culbutant le pilote qui bascule dans le beau Danube bleu, tsoin tsoin, tsoin tsoin.

La gonzesse blonde n'a pas eu le temps de réaliser que, déjà, je lui fonce dessus. Elle veut dégainer son feu de sa ceinture, mais je l'enserre étroitement.

— Tu sens bon, lui dis-je en anglais.

J'ajoute :

— Tu m'excuseras, poupée ! et lui file un coup de boule taurin dans les châsses.

Ça claque comme branchette de bois mort ; la miss pantèle. Je la laisse quimper pour bondir à la barre : il était temps puisque le barlu piquait droit sur un convoi de péniches « poussées » par un « remorqueur » (ce qui est insolite).

Tu sais qu'il faut pouvoir suivre l'action avec nous ! C'est du tournage accéléré, on confine au dessin animé.

Jérémie, hagard, a lâché son épieu qui reste planté dans la poitrine du zozo. L'homme ne bouge plus, n'a même pas de soubresauts.

— Je m'en remettrai jamais ! dit le Noirpiot.

Il tombe à genoux et se met à pleurer des larmes de cire.

— C'est lui qui ne s'en remettra pas, rectifié-je, m'efforçant au cynisme pour tenter de faire diversion.

Mon malheureux ami chiale comme un négrillon. Son nez épaté dégouline de morve.

— L'autre soir, ce coup de pioche, aujourd'hui, ce coup de gaffe, mais je deviens un tueur, Antoine !

— Tu ne deviens pas un tueur, Jéjé, mais un flic ! On

fait la guerre au crime, c'est un bandit que tu viens de supprimer, et tu l'as supprimé en état de légitime défense !

Il réagit :

— Et le pilote ?

— Ben quoi, le pilote ?

— Il est tombé à l'eau !

— Tu penses bien qu'il sait nager : un pêcheur professionnel ! Et le Danube n'est pas le Pacifique !

— Il faut qu'on aille à son secours !

— C'est le meilleur moyen d'attirer l'attention sur nous, il y a du trafic sur ce fleuve ! Allez, secoue-toi et usine : récupère nos menottes et passe-les à la fille et à Kaszec. Traîne la môme sous le taud.

— Et lui, là ?

— Le papillon ? On va aller le débarquer dans des roseaux, car il est encombrant.

Il exécute mes ordres en continuant de gémir :

— Dire que j'ai pris la décision de venir à ton secours ! Si j'avais su...

LUNDI

SLOVAQUIE, 17 H 30

— Elle se paie une chiasse d'enfer, annonce sinistrement mon sombre et cher ami. Elle doit avoir le foie fragile ; j'ai eu tort, hier soir, de la remplir de goulasch ! Pour la nettoyer, ça va être un drôle de roman d'amour !

Il regarde le cap que je viens de prendre.

— Tu fonces vers la rive ?

— On va tomber en panne d'essence. Tu nous vois en rideau au milieu du Danube, à lancer des signaux de détresse, avec les passagers qu'on trimbale ?

— Comment imagines-tu la suite des événements, grand ?

— Je n'imagine rien, mais je prie beaucoup. De toute manière il est grand temps que nous cessions de naviguer ; les complices qui attendaient Kaszec et sa livraison, en l'occurrence nous, doivent se trouver en état d'alerte ; sans parler du marinier qui aura été repêché et à qui les autorités doivent poser bien des questions.

Je fais ce que Béru appelle du « cabotinage » le long de la berge. C'est rural dans ce coin de la Slovaquie. A perte de vue, on ne voit que des champs labourés, des fermettes, des pâturages. Rien de bien fameux ; si nous entreprenons de déambuler au cœur de ce paisible univers, dans notre curieux équipage, on risque de ne pas passer longtemps inaperçus.

Je me débats au sein de ma perplexité quand se met à retentir une sirène.

Ce n'est pas celle d'un bateau.

— L'alerte est donnée ? fait l'escaladeur de cocotiers.

— Tu déconnes ! Ça provient de ce chantier, là-bas, au coude du fleuve. Fin du boulot, ça peut être bon pour nous.

Je pilote encore un peu, en frôlant la terre, et quand j'ai trouvé un bout de rive touffu, j'y accoste.

Le silence est bienfaisant. Nous percevons enfin le clapotis du fleuve, le ramage des oiseaux que le soir rassemble et la rumeur amicale de la campagne. Pour mettre davantage encore de félicité dans cette pastorale, une cloche, doucement, tinte, comme dans du Verlaine.

Je ferme les yeux pour mieux m'ouvrir à cette douceur.

Notre embarcation empeste la merde et l'huile brûlante.

— C'est étrange, remarque M. Blanc, tu sembles heureux ?

— Exact, je le suis !

— Au milieu de ce bordel ?

— On est heureux quand ça vous vient, Jérémie, ce n'est pas préméditable. A cet instant, je me sens en plein accord avec moi-même et je pense que nous avons eu une chance inouïe de pouvoir nous tirer de ce nouveau mauvais pas. Si tu réfléchis, nous avons la pool position, mec noir. On détient la baronne, plus deux éléments sûrement importants de la bande. En contrepartie, on ne sait trop comment se rapatrier à Paname avec notre équipe et nous sommes sans nouvelles du Gros. Mais en ce qui le concerne, je me fie à lui, sa constitution est plus solide que celle de la Ve République. Quant à retrouver la terre bénie de nos ancêtres, je me fais confiance.

Il me visionne torve et soupire :

— Tu ne serais pas un peu cyclothymique sur les

bords, Sana ? Un instant euphorique, le moment d'après dans le trente-sixième dessous sans que les choses aient bougé d'un iota !

— Possible, admets-je loyalement ; ça te gêne ?

— Ça m'a déconcerté à nos débuts, mais maintenant, tout compte fait, je trouve que ça ajoute à ton charme.

Une vapeur grise tombe sur le Danube, unissant les frondaisons et estompant la berge d'en face. Le silence devient plus dense.

— Allons-y ! dis-je en relançant le moteur.

Il n'a plus guère d'autonomie, mais pour gagner le chantier, ça ira.

Lorsque nous ne sommes plus qu'à cinquante mètres des grands travaux en cours, j'accoste à une espèce de ponton provisoire servant au déchargement de matériaux venus par voie fluviale.

— Attends-moi ici, je vais en repérage, fais-je à mon équipier.

J'avance sur un sol boueux, sillonné de traces d'engins mécaniques. Je constate, au fur et à mesure, qu'il s'agit du départ d'un chantier visant à d'importants travaux. C'est bourré de pelleteuses, de bulldozers, de bétonneuses, de tracteurs rassemblés sur une large esplanade. Des montagnes de banches se dressent, d'autres composées de sacs de ciment et d'autres encore de ferrailles destinées à armer ce dernier. Quelques chiottes amovibles sont répartis alentour. Seule présence humaine : une espèce de grande cabane préfabriquée, munie de deux fenêtres qui sont éclairées. Je distingue la rumeur d'un poste de TV et renifle une odeur de cuistance qui serait agréable pour quelqu'un aimant l'oignon, mais que je ne puis souder.

Risquant une zyeutée par un carreau maculé de traînées blanchâtres consécutives au ciment, j'aperçois un type debout devant un réchaud supportant une poêle émaillée.

Son poste de téloche marche, mais il lui tourne le dos. Sa case est meublée d'un lit pliant, d'une table, d'une chaise et d'une armoire métallique comme on en trouve dans les vestiaires d'usine. Détail : un fusil de chasse est accroché à un clou, mais je le suppose garni de gros sel car il doit s'agir d'une arme de dissuasion propre à mettre en déroute d'éventuels chapardeurs.

Décidé, je cogne à la porte et l'ermite largue ses oignons pour venir s'occuper des miens. C'est un grand costaud en chemise et pantalon bleus, anormalement roux, avec plein de poils porcins sur les avant-bras.

— *Sktchark polzec*? me demande-t-il, comme s'il pouvait espérer une réponse à une question formulée avec un tel assemblage de lettres.

— Vous parlez allemand? lui opposé-je.

Du chef, il me dénie le droit à une pareille supposition.

— Anglais? insisté-je.

Là, sa dénégation s'accompagne d'une expression écœurée.

Sur le point de renoncer, je lâche mon ultime fusée éclairante :

— Français?

Et le mot magique lui met les lèvres en rectum de poule :

— Oui.

— Dieu soit loué!

Car, même à crédit, il faut toujours louer le Seigneur.

J'explique au mec que je viens de tomber en panne avec mon bateau, est-ce qu'il aurait-il-t-il un téléphone dont j'userais pour lancer un appel de détresse?

Oui, il l'a.

Me prie d'entrer dans sa gentilhommière. Le biniou est juste derrière la porte. Avant de le décrocher, je craque une petite boulette sopo (je croyais ne plus en avoir, mais il en restait une dans ma poche-briquet).

Je retiens ma respiration (capacité d'une minute quarante) en bricolant le cadran pour me donner l'air d'avoir l'air de. Pendant ces cent secondes, Bidulard dodeline, ploie ses robustes jambes et s'étale, il tient toute la largeur de sa putain de cahute.

Dès lors (comme je dis souvent parce que ça pose un homme), dès lors je cours chercher mon second et mes passagers.

Il fait complètement nuit.

Un oiseau précisément nocturne lance un cri lugubre dont je n'ai cure, non plus qu'augure.

Lorsque tout ce petit monde a débarqué, je remets le moteur en route, place le nez du canot face à l'autre rive et enclenche la marche avant.

L'embarcation s'éloigne en pétaradant menu. L'essentiel est qu'elle atteigne le courant du fleuve; ensuite, celui-ci l'emportera où il voudra. C'est cadeau!

LUNDI

SLOVAQUIE, 18 H

Corvée de chiotte pour le Noirpiot. C'est lui qui nettoie mamie baronne et, crois-moi, dans l'état misérable où elle se trouve, ça n'est pas une sinécure. Il œuvre avec une conscience d'infirmier, mon Jéjé, sous les regards écœurés de la blonde et de Kaszec, lequel a retrouvé ses esprits. On a ligoté le veilleur de nuit sur son lit de camp (il sera délivré demain, à la reprise du boulot) et dûment entravé les prisonniers afin d'avoir l'esprit libre en ce qui les concerne.

Pendant que M. Blanc s'abandonne à son altruisme, je procède à une inspection approfondie des lieux. Mon projet est de profiter de la proximité de l'Autriche pour y passer sans tambour ni trompette avec ma cohorte éclectique. Une fois à Vienne, je contacterai l'ambassade pour obtenir du secours ; le rêve serait de disposer d'un avion privé, ou à la rigueur d'un hélico qui nous permettrait de gagner la zone d'occupation militaire française en Allemagne.

Le coup serait jouable si nous n'avions ces prisonniers de merde qui, je le sais, feront tout pour nous mettre des bâtons dans les roupettes. Je pense qu'à un moment, nous devrons nous en séparer. Bon, très bien, mais la chose ne peut se faire avant qu'ils nous aient révélé la genèse de cette affaire. Maintenant que la mère Van

Trickhül a perdu sa boussole de poche, ils constituent à peu près l'unique lien qui nous unit à cette formidable histoire.

Visitant le parc des engins de terrassement je suis perplexe. Fuir avec quoi ? L'auto du veilleur, une vieille caisse d'origine russe, plus cabossée qu'une tronche de boxeur ? Ou bien opter pour l'une des grosses jeeps ? Il y a quatre places dans l'habitacle, si bien qu'en se serrant on peut s'y tenir tous les cinq. Je pense que ce serait mieux.

Blanc qui a terminé sa besogne pour asile gériatrique, réapparaît, un peu pâlot (si je puis dire) et respire l'air frais du fleuve, histoire de se démiasmer les soufflets.

M'apercevant, il s'avance d'un pas incertain. Me regarde faire le plein de la charrette que j'ai élue à un baril pourvu d'une pompe mobile.

— On a la nuit devant soi, note-t-il. Tu choisis quoi ?

— L'Autriche.

— Tu comptes embarquer le couple ?

— J'hésite.

— C'est de la dynamite ! Au moindre contrôle on est bon ! Même si tu les convaincs de grand banditisme, tu iras expliquer aux autorités que nous ne sommes pas les complices de gens auxquels on tente de faire passer des frontières clandestinement !

Comme il a raison, ce grand primate dont j'admire la profonde sagesse !

— Ta langue est moins longue que ta queue, mais comme elle parle mieux ! lui dis-je.

— Proverbe san-antonien ? demande Blanc.

— Je le crains.

Il revisse le bouchon d'essence, le plein s'étant achevé sur le sol.

— Conclusion ?

— Il va falloir questionner Kaszec et la gonzesse ici même avant de les jeter.

Il soupire :

— Encore du pas beau ! Tu sais : ce sont des coriaces, ces deux-là ! Même en les « entreprenant » durement, je doute qu'ils se mettent à table.

— Tout individu a son talon d'Achille, cher homme de la jungle, il s'agit de le trouver.

— Tu comptes les interroger ensemble ?

— Juste ciel ! Tu n'y penses pas ! Va me chercher le gus, on se fera la main sur lui.

Il obtempère de bonne grâce et radine en traînant Kaszec par les pieds.

Le faux officier se paie une chouette noix de coco sur le bocal, éclatée du sommet comme un œuf coque ; on pourrait la bouffer à la petite cuiller.

Je me dis qu'il ne s'agit pas, avec un client de ce calibre, de démarrer en salades, matamorismes, menaces pernicieuses ou torgnoles. Ce serait du temps gâché et j'aurais l'air ridicule d'un prestigitateur sur lequel ses colombes chient au lieu de s'escamoter.

Un court prélude de réflexion (intense) m'induit à porter illico un grand coup. Muni d'un cordage de chantier, j'attache le Kaszec à une grande plaque d'acier dressée, et il se trouve totalement immobilisé, ne pouvant même pas rouler sur lui-même.

Qu'après quoi-ce, je mets la jeep en marche, manœuvre pour me présenter perpendiculairement au zigomard et à une allure voisine de l'immobilité, comme dirait un grand romancier dont je tairai le blase, pas lui faire de la pub, ce con, avance sur lui. Bientôt, la roue gauche du véhicule arrive contre sa cuisse droite, entre le bassin et le genou. Je continue ma progression de façon à ce que l'énorme pneu à gros dessins en saillies repose sur les deux guiboles de notre homme.

Puis je descends pour me pencher sur lui. Il est livide et tremble de souffrance.

Sensible comme une fleur de cactus, Blanc s'est éloigné.

— Excuse-moi, fais-je à Kaszec, je voudrais simplement que tu me dises à quelle bande tu appartiens, ce qu'elle veut de la baronne et à quoi rime cette action à grand spectacle. Si tu ne parles pas, je recule et engage ensuite la roue sur ton ventre. En finale, si tu te taisais toujours, ce serait sur ta figure, et je pense qu'on se dirait définitivement adieu.

Catégorique, non ?

Un mec comme moi, qui ai déjà un peu hécatombé ses complices, ne peut pas ne pas être crédible en tenant un tel langage.

Il clôt ses paupières comme pour masquer sa douleur, mais ses dents le trahissent et grincent comme un portail rouillé.

— Une fois, deux fois, trois fois ; pas d'amateur ? Alors on passe à la phase deux du traitement !

Ainsi que dit, je renouvelle. Maintenant il a les deux roues sur lui : la gauche sur l'estomac, la droite sur les chevilles. Il s'asphyxie à toute pompe.

— O.K. pour parler ? laissé-je tomber de ma hauteur.

Il ne peut plus jacter, seulement battre des ramasse-miettes.

Je grimpe dans la jeep et passe la marche arrière. Quand je me ramène vers Kaszec, il est évanoui. Et ça paraît sérieux ; je crois qu'il n'a pu digérer ces deux tonnes sur son estomac. Je dis l'estomac, mais les roues sont si larges qu'il y a eu des dégâts dans la périphérie. Tu veux parier que sa vessie est naze ? Ses boyaux tréfilés pour faire des cordes à raquettes ? Son pylore déconnecté ? Sa rate comme une sole ?

Blanc surgit, les sulfures sulfureux !

— Monsieur le directeur, chevrote-t-il, je te donne ma démission, et il ne s'agit pas là d'une phrase en l'air !

Moi, la Gestapo, merci bien ! Je crois que le désir de réussir te fait perdre l'esprit. Si tu continues à tourmenter ces gens, je me verrai dans l'obligation d'intervenir !

— Ivanohé !

— Peut-être : on attrape l'ère du héros nègre ! riposte l'Anthracité.

— Je te pisse au cul !

— Ça va bien avec tes nouvelles manières !

— Et ma main sur ta gueule mâchurée ?

— Elle entraînerait la mienne sur ta gueule blafarde !

Pour la première fois depuis le départ de nos relations on a un coup de haine mutuelle. On est là à se défier avec des regards sanguignolents et des tremblements rageurs dans tous les membres.

Et puis, par la force des choses et de la tendresse réunies, la pression baisse. Mes poings durs redeviennent des mains molles.

— Tu l'as vu, le blond, dans sa chambre, avec le nez et les roustons coupés ? articulé-je. C'était un grand artiste. Eh bien, ces fumiers n'ont pas hésité à le mutiler et à l'assassiner ; et tu voudrais que je les interroge en leur chatouillant la plante des pieds avec une plume de paon, dis, arboricole ?

— Tout de même, ronchonne Jérémie, répondre à la torture par la torture...

— C'est parler le langage de ces gredins ! Quand on se permet d'employer les pires moyens pour obtenir satisfaction, il faut s'attendre à une rétorsion appropriée.

M. Blanc gratte sa toison d'astrakan.

— Tu as « encore » des poux ? ricané-je-t-il. Ta maman ne les a pas tous bouffés ?

Ça vient sans que j'aie le temps de réagir : une patate formide au menton. Voilà mon cerveau qui se décroche de ma boîte crânienne et se met à tourner comme une boule de loterie dans sa sphère. Je tente de saisir quelque chose pour me retenir, ne trouve rien et plonge d'une masse sur le gars Kaszec qui n'avait pas besoin de cet excédent de bagages.

Pendant un moment indéterminable, je perds conscience. Tout est brouillard, dans lequel crépitent des étincelles de « cierge magique ».

Quand je reviens à moi, la main large comme une taloche de maçon du Négus me masse la nuque.

— Tu vois à quoi on en arrive, grand con? balbutie mon pote. Tu l'as bien cherché, avoue? Cette façon systématique de m'insulter! Tu le voulais, ce crochet, hein? Dis que tu le voulais!

— Exact, je le voulais, conviens-je.

— Et pourquoi le voulais-tu?

— Pour que tu aies du remords, gros nœud! Tu es mon débiteur à présent!

Il m'aide à me relever; ce faisant, il questionne en montrant Kaszec :

— Il ne serait pas un peu mort des fois?

— Complètement, mon bien cher frère; mais ne t'attends pas à ce que j'éclate en sanglots : il a eu ce qu'il méritait.

Le *all black* hausse les épaules et se dirige vers la cabane de chantier.

— Tu as raison, dis-je, après l'avoir rattrapé, occupons-nous de la belle blonde à présent. Je pense qu'il nous suffira de lui montrer le cadavre de son coéquipier pour l'amener à composition.

Tout est peinard dans l'habitat du gardien. Celui-ci roupille toujours sur son lit. La baronne aussi, qui, assise sur la chaise, avec le menton entre ses nichons de fin de kermesse, les bras ballants de son part et d'autre, ronfle à s'en carboniser les sinus.

« O vieillesse ennemie », récité-je mentalement en

considérant cette femme qui, il n'y a pas si naguère, fut probablement brillante, élégante, conquérante, et qui, désertée par l'énergie et la lucidité, n'est plus qu'une vieille breloque au rebut.

— Bon, me secoué-je, au tour de Miss Europe Centrale, à présent.

Je me penche sur elle et la constate inanimée. Dormirait-elle également ?

Il n'y semble pas ; d'ailleurs, elle a les yeux à demi ouverts.

Je porte la main à son cou. Ça ne bat plus dans la région jugulaire. Tu ne vas pas me dire, Casimir, qu'elle a passé l'arme à gauche ?

Et pourtant !

— Elle aussi ? bégaie le « démissionnaire ».

— Je crois ; mais tu es témoin que je n'y suis pour rien ?

Blanc Jérémie s'allonge sur le plancher et place sa tête sombre près de la tête claire.

Il étudie le visage de la jeune aventurière.

— Odeur d'amande amère, récite-t-il lèvres bleues : elle s'est empoisonnée avec une capsule de cyanure.

— Comment aurait-elle pu le faire, ligotée comme elle est ?

Il me toise d'un air apitoyé :

— Tu ne sais peut-être pas que les gens qui s'offrent la possibilité de se suicider ainsi ont en permanence une capsule cachée dans la bouche ? Dent truquée, mon pote : Himmler, Goering, Laval, une chiée d'autres !

— En tout cas, nous sommes marron ! lamenté-je.

Il sourit.

— Moi, j'ai l'habitude de l'être, dit Blanc.

LUNDI

Frontière autrichienne, 21 h 20

Le plus grand mérite d'un véhicule comme celui que nous avons « emprunté » est d'être tout terrain, c'est pourquoi, devant sa maniabilité et avec l'accord de Jérémie Blanc, je décide de franchir la frontière autrichienne en loucedé.

Ce qui m'en a donné l'idée, c'est la carte d'état-major trouvée dans l'immobile home du chantier. Là-dessus figurent toutes les petites voies secondaires faisant communiquer la Slovaquie avec l'Autriche dans la région. Je sais combien les pays sont « poreux », pour qui veut bien se donner la peine de s'écarter des principaux chemins d'accès.

Dans un premier temps, nous reprenons la route de Bratislava, sans pénétrer dans cette capitale de la Slovaquie, célèbre par ses monuments anciens, et poursuivons vers le nord en direction de Brno. Au bout d'une cinquantaine de kilbus, j'emprunte un chemin vicinal sur ma gauche. Je déchante vite en m'apercevant qu'il cesse en atteignant un cours d'eau.

– C'est le (ou la) March, m'apprend Jérémie. Il constitue la frontière entre la Slovaquie et l'Autriche pendant un sacré bout de chemin. Il faut absolument trouver un pont, car ensuite, la Morava se jette dedans et file jusqu'à la Pologne ou presque !

— Qui dit pont, dit douane, soupiré-je-t-il.

— Tu aurais dû choisir une voiture amphibie, déclare l'Assombri ; il y en avait deux sur le chantier !

C'est vrai, j'aurais dû. Commander c'est prévoir.

— Tu aurais pu me le dire, bougonné-je.

— Je n'y ai pas songé.

— Donc, zéro à zéro, la balle au centre !

— Qu'est-ce que tu fais ! s'exclame mon camarade de villégiature en me voyant foncer délibérément à travers les fougères bordant la rive.

— Pas amphibile, mais tout terrain : j'en profite !

Et nous voilà à tanguer sur une terre peu meuble, écrasant des branches mortes, nous enlisant parfois, mais avec un 4x4, tu joues gagnant !

La baronne dodeline comme un pantin de son[1], cramponnée au siège arrière.

— Pourvu qu'elle ne se remette pas à gerber ou à déféquer ! redoute Blanc. J'en ai ma claque de briquer cette vieille gâteuse.

Penché sur mon volant, je m'efforce de garder le cap (de bonne espérance). Les kilomètres défilent au ralenti sur le compteur.

De temps à autre, on distingue, sur la droite, les lumières d'une crèche. Elles me donnent envie d'une existence douillette au coin du feu, avec la télé qui déverse, un verre de quelque-chose-que-j'aime à ma portée et m'man qui s'affaire dans le coin ! M'man avec une gonzesse, peut-être bien. Je devrai me décider un jour. Sauter le pas, quoi !

Pour l'heure, c'est la (ou le) March que j'aimerais sauter. On ne se parle plus, le *Dark* et moi.

1. Cette méta, jamais je pensais qu'un jour j'aurais le culot de la placer, et puis tu vois : de renoncement en renoncement...

Chacun rumine pour son compte. Lui doit penser à Ramadé, son épouse, et à leur ribambelle de négrillons rieurs. Dents blanches, haleines fraîches ! Ils bouffent tout le temps, ses lionceaux, Jéjé. N'importe l'heure de ta venue chez eux, ils sont en train de claper des nourritures diverses et controversées, qu'ils postillonnent à tout va because leurs éclats de rire incessants.

— J'en vois un ! s'écrie-t-il tout à coup.

— Un quoi ?

— Ben, un pont !

Je mate devant moi, à travers les volutes de brume traînassant sur la rivière. Ne distingue rien.

— Je suis nyctalope, jette brièvement le jaguar d'Aubervilliers.

Faut croire qu'en effet puisque, quelques instants plus tard, j'aperçois, à mon tour, l'armature métallique d'un pont.

L'ouvrage semble de moyenne importance. En m'en approchant, je vois qu'il est traversé par une route qui doit rejoindre celle de Vienne.

Deux constructions minuscules marquent chaque bout du pont. Celle qui se trouve en territoire slovaque est éteinte et nulle trace de vie ne donne à craindre l'intervention d'un gapian.

Je m'arrête à faible distance, coupe le moteur et m'avance. *Nobody* !

J'en conclus que si la douane est bouclarès côté slovaque, il n'y a aucune raison pour qu'elle soit ouverte côté autrichien.

En fait de quoi, je passe.

Mon pot est moins bordé de nouilles que je le subodorais puisque, au milieu du bridge, je distingue une lumière chez les « chleuhs décaféinés »[1].

1. C'est ainsi que j'ai baptisé les Autrichiens, gens qui parlent l'allemand en étant plus « gentils » que les Allemands, mais qui nous ont tout de même pondu Hitler.

Que faire? Marche arrière? Ça paraîtrait suce-pet.

Je pense à cette phrase de Hugo tirée de je ne sais plus lequel de ses romans : « Il y avait de quoi reculer : il avança ! » J'avance. Coupe mes loupiotes et accélère. Je passe devant le maigrichon poste de *dogana* en ayant tout juste le temps d'apercevoir une silhouette dans l'encadrement de la porte. Et maintenant, toute la sauçaille !

La jeep ronfle jusqu'à ses limites; une double lignée d'arbre déferle.

— Crois-tu que le douanier va envoyer le duce? s'inquiète l'homme en comparaison duquel un dessin à l'encre de Chine ressemble à un dessin à la craie?

— Quel signalement veux-tu qu'il donne? Celui d'une grosse bagnole, et point à la ligne. Pas de numéro, pas de marque; tout juste s'il fera un rapport.

— Décidément, ton optimisme ne t'abandonne pas, note Jérémie.

— Y a pas de raison.

— Pourtant, notre enquête équivaut à un échec!

— Tu as lu ça dans les *Pieds Nickelés*? J'avais pour mission de veiller sur la vie de la baronne et elle est là, en pleine bourre!

— Mais gâteuse!

— Je n'étais pas responsable de son esprit, mon pote; si sa lucidité a tourné comme de la crème, je n'y peux rien. La petite madame va retrouver Bruxelles, sa Place Royale, sa bière aigre et toutime, et mon ami Buton-Debraghette, le chef de la Sûreté, me donnera quitus. Il me réinvitera chez lui et je rebaiserai sa jolie fille dévergondée. *Happy end*!

— Si tu penses...

— Je panse, donc j'essuie, comme disait un palefrenier que j'ai beaucoup aimé.

— Toujours le même programme? Vienne, ambassade de France, arrangement de nos bidons, retour à Paris ?

— De plus en plus, Lulu.

— Et nous ne saurons jamais rien de ce qui a motivé un tel déclenchement de forces contre cette vioque ? Tu acceptes que le mystère s'appesantisse sur ces tueurs ? Je suis sûr que l'assassinat de John Kennedy n'a pas dû mobiliser autant de monde ! Tu tolères ça, toi, le superflic ? L'indomptable ! L'homme qui n'accepte jamais l'échec ?

Il m'agace à me frelonner dans les portugaises, ce grand glandu !

— Écrase, veux-tu ! tonné-je brusquement. T'as encore le dos des mains qui traîne par terre et tu veux me faire la morale ? Non, mais t'es dans les nuées, ou quoi ! Voilà un gonzier que j'ai fait divorcer d'avec son balai en branche d'osier, ça baladait des merdes de chien le long du caniveau, ça doit avoir un melon rouge au fion et ça en installe !

Il s'écarte au maxi de ma pomme, comme si je souffrais d'un virus à haute contagion.

Il murmure, comme on prie :

— Seigneur, qu'est-ce qui T'a pris de créer l'homme blanc ? C'est un oubli, ou quoi ? Un accident de cuisson ? Heureusement qu'on nique leurs gonzesses comme des fous ! On la bariole, Ton humanité, Seigneur ! Tu vas voir comme ces enfoirés vont devenir de beaux mulâtres !

Ayant exhalé sa bile, Buffalo change radicalement de ton pour annoncer :

— Dis, on est filés ou je me berlure ?

Effectivement, je suis en train de regarder, moi aussi, dans mon rétroviseur extérieur et je vois fondre sur nous un véhicule rapide, tellement rapide qu'il ne peut appartenir au service des douanes.

Lorsqu'il nous double, je constate qu'il s'agit d'une grande Mercedes 500 SEL jaune caca d'oie.

La grosse chignole file sec et disparaît.

— Fausse alerte ! dit Blanc. On devient nerveux.

Il rêvasse puis ajoute :

— En rentrant, je prendrai, si tu n'y vois pas d'inconvénient, dix jours de vacances pour retourner me faire un moral dans mon pays.

— Ton pagne te manque ?

— Oui. Il y a longtemps que j'ai pas bouffé de missionnaire ; toujours des steaks-frites, ça lasse. Chez nous, les jeunes filles ont des seins comme nulle part ailleurs ; tu dirais des statues !

— Et elles ont de surcroît des culs qui peuvent servir de dessertes, ajouté-je. Leur peau est froide et elles baisent mal. Crois-moi, rien ne vaut une petite Franchouillarde bien salingue qui se laisse brouter la moniche et escalader le mont de Vénus en gueulant des insanités stimulantes.

Il n'a pas le temps de me tourner une réplique cinglante à propos de mes dépravations, voilà que la direction de la jeep devient foireuse et duraille à contrôler.

— On a crevé ! dis-je, fou de rage.

Je serre le côté droit et descends, flanqué de Vendredi. Ma doué ! Deux pneus nazes ! Un à l'avant, l'autre à l'arrière, et nous ne disposons que d'une seule roue de secours ! J'ai connu des instants plus lumineux, entre autres la fois où ma cousine Marcelle, qui avait quatre ans de plus que moi, est venue en pleine nuit dans ma chambre, à la campagne, me tirlipoter le chinetoque. J'avais douze ans et triquais déjà comme un taureau de Camargue. C'était pendant des vacances en Dauphiné ; la vieille maison de tante Hortense craquait comme une vieille barcasse et sentait continuellement les confitures et le repassage. Putain ! Elle s'en ressentait, la Marcelle !

Tu l'aurais vue m'agiter le sémaphore, puis se foutre à cheval sur moi pour me happer le pompon avec ses miches, la goulue ! Ça ne l'a pas empêchée, deux ans plus tard, d'entrer chez les ursulines où elle a pris le voile. Elle s'y trouve toujours, la chère Marcelle : sœur Marie-Josèphe de la Trinité, elle s'appelle désormais. La Trinité se passe, Marcelle ne revient pas. Je me demande ce qui a pu survenir dans son cœur pour qu'elle renonce à Satan, à ses pipes et à ses œuvres. C'est mystérieux, la vie.

Bon, je te place ce souvenir au débotté, devant notre jeep immobilisée. Pas le moment? Que si! C'est toujours le moment d'aller à la pêche dans le vivier de la mémoire. On ne vit que pour se fabriquer un passé, dans le fond.

— Passe-moi la carte! demandé-je au Bronzé.

Il.

Je la potasse (çui qui crie d'Alsace, je le vire de ce *book*!).

— Tu sais que nous sommes très près de Vienne? noté-je-t-il. Vingt-cinq bornes à tout casser.

— On ne peut tout de même pas y aller à pincebroque avec la baronne!

— Je roulerai sur la jante.

— Ça t'arrive souvent, pouffe Jéjé. Ce que tu oublies c'est qu'au bout de quelques kilomètres, tes boudins auront déjanté, ce qui bloquera les roues.

— On avisera à ce moment-là; allez, en route.

— Ça m'étonnerait, répond M. Blanc d'un ton changé.

Je vais pour lui demander ce qui lui prend, mais je renonce à ma question lorsque je sens un objet dur pointé avec force entre mes omoplates.

Je détourne légèrement la tête, suffisamment pour distinguer du monde derrière moi. Pas le temps de dénombrer les effectifs : je dirais trois mecs, à vue de nuque. En un éclair, je pense à l'énorme Mercedes caca d'oie qui nous a doublés tout à l'heure. Leur manœuvre a été simple : après nous avoir pris quelques kilomètres d'avance, ils ont semé des crève-pneus sur la route, puis sont allés s'embusquer un peu plus loin ; ensuite...

Un choc sourd interrompt mes déductions. Je me dis familièrement : ça c'est le bruit d'une matraque à la base d'un crâne, et alors, comme tout se brouille dans ma tronche, j'en conclus que c'est moi qui viens de la dérouiller et je m'évanouis de confiance.

LUNDI ou MARDI

J'IGNORE OÙ ET L'HEURE

Une nacelle dorée dans l'azur, drivée par un conducteur d'aéronef vêtu de blanc.

Un moment, l'image flotte à ma surface, puis s'anéantit pour laisser place à du noir et à des odeurs caoutchouteuses. Ne subsiste de la nacelle qu'un doux balancement moelleux (redis-le moelleux).

J'ai les mains entravées, une fois encore, par des menottes ; seulement, comme on me les a passées alors que je vadrouillais dans l'inconscience, je n'ai pu « prendre mes dispositions » et j'en suis bel et bien prisonnier.

— Tu as récupéré ? chuchote la bonne voix de Jérémie.

Il parle impec, mon copain. Tout de même, sa négritude lui donne encore quelques problos pour la prononciation du « r » ; il ne le remplace pas par un « h aspiré » comme presque tous les gens de sa race, mais met une apostrophe après, ce qui donne à peu près : « r'écupér'é ». Cela ajoute à son charme.

— Je commence. On t'a estourbi, toi aussi ?

— A peine, ou alors j'encaisse bien. J'ai fait semblant d'être groggy.

— Nous sommes dans le coffiot de la Mercedes ?

— Gagné.

— Il y a longtemps qu'on roule?

— Environ une heure.

— Donc, nous n'allons pas à Vienne. Naturellement, ils ont embarqué mémère avec eux?

— Tu m'étonnes!

— Tu as des menottes, toi aussi?

— Non, des cordes : ils ne disposaient que d'une paire et comme « à tout seigneur tout honneur », c'est toi qui l'a eue.

— Tu ne peux pas te débarrasser de ces liens?

— Tu parles, ils les ont tellement serrés que ça bloque ma circulation sanguine!

— Nous sommes tête-bêche, essaie de te mettre dans le même sens que moi.

Je le sens se contorsionner; dur d'accomplir un tel mouvement dans un espace aussi exigu. Mais les Noirpiots, tu connais leur agilité? Ils passent à travers le chas d'une aiguille sans toucher les bords!

En peu de temps, il se trouve dans une posture propice à mon dessein. De mon côté, je me positionne en chien de fusil, ce qui me permet de pouvoir atteindre avec ma bouche les entraves maintenant ses mains liées dans son dos. Au travail, Sana!

La polka des mandibules! C'est les incisives qui opèrent. Pas la première fois que je me livre à ce type d'exercice, aussi ai-je acquis la technique. Ne pas essayer de sectionner à pleines chailles, mais ronger! Tu m'entends, Gontrand? Ron-ger. Le triomphe du rat. Tes quenottes avant attaquent presque fil à fil la corde. Je recrache, fur-mesure les particules de chanvre. Impression de brouter le frifri d'une dame qui fait sa mue australe.

Je grignote, grignote. Qu'au bout d'assez pas longtemps, j'achève de sectionner la première corde. Seulement, il y en a plusieurs tours.

— Encore une et tu pourras tirer dessus ! promets-je. Phase 2 ! Ça va encore plus vite.

— Laisse ! murmure le Diago du pauvre.

Il joint bien ses poignets, puis les écarte d'un coup sec. Tout y va : la chaîne et la montre !

— C'est bon, assure-t-il.

— Nous ont-ils fouillés ? je demande.

— Non : ils étaient trop pressés.

— En ce cas, cherche dans ma poche droite, tu trouveras mon canif. C'est un Bush américain, il coupe même le fer car sa lame est dentelée. Libère tes pattounes et ensuite tranche mes menottes ; ils n'ont pas pris le temps de m'attacher les chevilles.

M. Blanc pue que c'en est une bénédiction ! J'aimerais pas passer mes vacances avec lui dans une cabine téléphonique. Son activité attise sa sudation et je me crois dans la cage d'un tigre du Bengale en rut.

En deux coups les gros, nous voilà libres.

— *And now* ? questionne le beau blond.

— Deux écoles, fais-je : soit je bricole la serrure du coffre et on saute à un ralentissement de la tire...

Il me coupe :

— Pas question ! Et la vieille ?

— Bravo pour ta conscience professionnelle, mec. Seconde solution : on attend l'immobilisation de la guinde et, quand ils viennent déponner le coffre, on bondit, moi en brandissant le cric, toi sa manivelle, et on leur rentre dans le lardus comme des malades !

— O.K., c'est préférable. Seulement, s'ils s'arrêtent dans un lieu où les attendent des potes à eux, ça risque de nous valoir des plaies et des bosses.

— Possible, mais tu imagines une troisième solution, toi ?

— Franchement pas.

— Alors, « alinéa jacte à l'aise », comme dit Béru quand il parle latin !

Mais pour l'instant, on roule toujours.

Enfin on s'arrête. Je crois que « ça y est », mais c'est uniquement pour faire de l'essence. Les bruits familiers me renseignent : bouchon dévissé, bec enquillé dans le réservoir, glouglou du généreux liquide emplissant ce réservoir placé à quelques centimètres de ma tronche. Il s'agit d'une station self-service, je parierais car, le plein fait, il s'écoule encore un temps avant qu'on ne reparte. Le conducteur va carmer la tisane. En route !

— A ton avis, ça fait combien de temps qu'on roule ? demandé-je à Jérémie.

Il se livre à une appréciation rapide :

— Bientôt trois heures !

— Et à bonne allure. Mettons cent vingt de moyenne, ce qui représente entre trois cents et trois cent cinquante kilomètres.

— On doit traverser l'Autriche complètement !

— Ils ne vont pas avoir le culot de franchir une frontière avec deux types ligotés dans leur malle arrière ! réfléchis-je.

— Ce qui me trouble, c'est qu'ils ne nous aient pas bâillonnés ; comme s'ils se foutaient qu'on se mette à gueuler au secours !

Il a raison, le tout-frisé : y a quelque chose de bizarroïde dans cette « négligence ».

On roule, roule, roule. Je suis complètement ankylosé. J'ai à la fois faim, mal au cœur et besoin de licebroquer, sans compter des élancements dans la tour de contrôle.

Et puis voilà un second arrêt. Plus prolongé, celui-ci. Une frontière ? Une halte-pipi ? La chose dure un quart d'heure. Je distingue confusément des bruits de voix. Bon, on repart !

Pierre qui roule n'amasse pas mousse, comme disait un amiral de mes amis.

Le pauvre Jéjé a fini par s'endormir, vaincu par la fatigue et le léger tangage. La vessie comble, force m'est de dégainer Mister Hyde pour la vider. J'opère de mon mieux pour que mon excédent de bagage aille dans la cavité du plancher réservée à la roue de secours.

On étouffe un peu, mais heureusement, des trous percés à l'intérieur des ailes arrière assurent une relative aération du coffiot. Mon petit doigt (qui n'intéresse pas les dames et que je réserve à mes télécoms subconscientes) me chuchote que nous ne sommes pas les premiers passagers du coffre, Blanc et moi ; d'autres gonziers ont déjà fait la croisière (sans retour ?), crois-moi.

— Cette fois, je pense que c'est le terminus, avertis-je.

Depuis un certain temps, la tire a perdu sa vitesse de grande routière pour naviguer par des voies confidentielles.

Tours et détours. A un certain moment, on fait grelotter les lamelles d'un pont léger, plutôt d'une passerelle. Un ou deux virons, et voilà !

Nous entendons s'ouvrir et se claquer les quatre portières. Des pas touillent les graviers d'une allée ou d'une esplanade. Ils s'éloignent.

— Votre avis, docteur ? demande M. Blanc.

— Je perplexite, avoue-je. On quitte le coffre ou on attend.

— Pourquoi attendre ?

— Bonne question. J'envisageais la seconde solution dans le cas ou, quelqu'un surveillant la voiture à distance, nous perdrions l'effet de surprise.

— Corrosif ! lâche-t-il.

On gamberge en faisant cerveau à part.

— Par contre, reprend mon pote, si nous parvenions à quitter ce coffre sans être retapissés, on l'aurait meilleur pour une attaque de commando.

— Tu oublies les graviers qui nous entourent ? Rien de plus perfide !

— Exact. Alors on attend.

MARDI (PROBABLEMENT)

Je ne sais pas où, ni l'heure

Et comme cette décision est sage !

A peine l'avons-nous adoptée qu'un double pas retentit, qui se rapproche.

— Tu tiens la manivelle ? m'enquiers-je-t-il.

— Bien en pognes, me rassure Jérémie.

De mon côté, j'ai, depuis lurette, dégrafé la sangle de toile maintenant le cric. Seule crainte : nos membres ankylosés. Tu ne vois pas qu'on soit relégués à l'état de tas dans cette chignole ? Que, l'instant décisif (ou de Sisyphe) venu, ne puissions plus faire un geste ?

J'invoque le Seigneur, et puis aussi maman, car on ne s'entoure jamais d'assez de précautions.

Les pas stoppent à l'arrière de la Mercedes. Clé dans la serrure.

Santantonio, toujours à la pointe de l'action ! Un surdoué en la matière. Le génie du coup d'éclat à l'état pur. Deux comme lui : y en a un de trop !

A peine le couvercle commence-t-il à se lever que je me dresse comme... Quel est le con qui vient de dire : « un diable dans sa boîte » ? Je ne veux plus entendre de pareils lieux communs, compris ? Quand on lit du Sana, on a sa dignité, bordel !

On entreprend une croisade ! On s'écarte des chantiers battus.

Bon, je disais donc que je me dresse comme la bite d'un collégien à qui Madonna tripoterait les couilles au cinoche.

Le couvercle est soulevé tel un canot par une vague de fond. En même temps je pousse un cri terrific de kamikaze, un truc dans le genre de « hhhhaaaaaaarwhhhh », mais en plus fort. Je suis agenouillé dans la malle, je file un coup de cric mortifiant et déprédatesque dans la figure d'un monsieur auquel je n'ai pas eu l'honneur d'être présenté et qui, sur le coup, se fend la gueule ! De son côté, Jérémie Blanc use de sa manivelle à bon escient.

Son coup est l'écho du mien. Bruit de chaise et de pet dans un temple bouddhiste.

Inscrivez deux allongés de plus au tableau.

Pour ma part, j'ai seringué si fort que mon épaule me brûle.

Nous restons côte à côte, agenouillés dans la malle, à contempler ce qui nous entoure.

Un parc, une esplanade parsemée de graviers, au fond, une grande bâtisse sans grâce, à deux étages. On voit de la lumière en haut. Le ciel est tourmenté, nuageux ; une lueur blême, au bout de l'horizon, annonce l'aurore pour bientôt. Quelle vie de chien ! Je suis pétrifié par l'ankylose. Heureusement que je n'ai eu besoin que de mon hémisphère nord, sinon je restais en rideau comme un trou du cul-de-jatte dans sa caisse à roulettes.

Avec d'infinies précautions, je me risque hors de notre prison mobile. Une jambe, l'autre. Ça flageole, je ne sens plus mes guibolles. Je retombe à genoux. Le guépard de la brousse s'en sort mieux que moi. C'est coriace, ces grosses bêtes ! Quelques exercices d'assouplissement et le voilà prêt à prendre le départ d'un dix mille mètres. Il m'aide à retrouver la verticale ; mieux :

me masse les mollets et les cuisses. Ses coups de tranchant de main remettent mon raisin en activité.

— Mieux ? chuchote-t-il.

— Impec. Foutons ces deux zozos à notre place.

Le mien est mal en point et râle. Celui du grand primate est un tout petit peu moins esquinté.

— Pour une fois, se réjouit M. Blanc, je n'ai pas cogné trop lourd.

Les voici au chaud ; emballez, c'est pesé.

— Ils doivent avoir des armes sur eux, note Blanc en les fouillant, sinon ce serait comme un garde-pêche qui ne porterait pas de flanelle pour faire sa ronde !

Ils en ont. Chacun un Colt à museau court. Par ici la bonne soupe !

Toi qui me lis scrupuleusement (et même scrofuleusement quand tu souffres d'une maladie éruptive), tu n'ignores pas que pareille situation s'est moult fois répétée au cours de mon indicible carrière en comparaison de laquelle celle d'Elliott Ness comporte autant de péripéties qu'un ouvroir de dames patronnesses. En combien de circonstances épiques ai-je risqué d'intervenir dans une maison isolée pour y surprendre de sombres et bas filous, gens de sac et de corde, pour qui l'assassinat n'était qu'épisode routinier ?

Nos armes de poing au poing (et au point, je l'espère), nous avançons sur la maison, déterminés, farouches, éclairés de l'intérieur par une indomptable énergie.

Elle est bizarre de conception, cette baraque ; pas du tout comme chez nous autres où un vestibule (voire un hall) sert d'épine dorsale et distribue les différentes pièces. Une porte à double battant fait communiquer le haut du perron avec une grande salle encombrée de machines-outils, d'établis, de caisses, de rayonnages. Bref, c'est d'un vaste atelier qu'il s'agit.

Personne ne s'y trouvant, nous le traversons pour gagner un escalier à rampe de fer, nu et froid, dont les marches sont en pierre.

Nous le gravissons, l'un suivant l'autre, ce qui nous conduit à un autre atelier, tout aussi désert que le premier.

Je crois t'avoir indiqué que la maison comporte deux étages. Mais tu es tellement tête de nœud de linotte que tu l'auras déjà oublié. Un second escadrin, de bois icelui, beaucoup plus étroit que le précédent, mène à une partie burlingue ou habitation.

Parvenu au second niveau, je stoppe pour risquer un œil. Ce qu'il y a d'étrange dans cette crèche, c'est que, malgré ses dimensions, il n'existe qu'une pièce par niveau. Comme je le subodorais, c'est effectivement d'une partie privée qu'il s'agit. Des divans de cuir ravagés, des fauteuils; dans le fond, un bureau encombré avec un fauteuil pivotant et un meuble comportant des livres et des dossiers.

J'aperçois trois hommes : un très gros, tout chauve, habillé de noir avec une écharpe rouge, plus deux, tellement insignifiants qu'on leur marcherait dessus en les prenant pour deux peaux de banane. Outre le trio, la baronne, lovée dans un fauteuil et qui semble dormir, la joue contre l'accoudoir.

— On y va! susurré-je dans le plat à barbe de Jérémie. Le premier qui bronche, on l'étale.

Et j'arrive peinardos dans l'immense livinge-rome (Béru dixit) en proférant ces simples paroles, d'une voix posée :

— Soyez gentils de lever les bras, messieurs, nous avons horreur de tirer sur des hommes assis.

Le trio en reste comme ce que tu voudras, mais bien!

— Exécution avant exécution! insisté-je d'un ton si glacé que les mains d'un serpent passeraient pour des chaufferettes.

Comme s'ils étaient dans un état second, ils s'exécutent.

— Confie-moi ton feu, Jéjé, et va fouiller ces gentlemen en toute tranquillité : je suis capable d'en praliner deux à la fois!

Le Négus a vite souscrit à sa mission. Seuls les sbires étant armés, il s'écarte du groupe en tenant comme moi un riboustin dans chaque main. C'est ce qui s'appelle clarifier une situation.

— Ce qui m'enchante, dis-je aux trois médusés, c'est que vous comprenez le français ; j'ai besoin des subtilités de ma langue pour véhiculer ma pensée. Alors que je vous dise : depuis jeudi de la semaine dernière, je suis embarqué dans l'aventure la plus étonnante de ma carrière. Une folle quantité de tueurs sont aux chausses de cette femme. Jusqu'ici, mon ami et moi devons équarrir à tour de bras pour lui conserver sa liberté. Et le plus hallucinant, c'est que nous ignorons la raison de ce massacre de la Saint-Barthélemy. J'ai vu le coup que nous allions mourir idiots car, chaque fois que nous la délivrons de vos griffes, c'est au prix de la vie de ses kidnappeurs ; si bien que nous continuons de vadrouiller dans le brouillard. Heureusement, vous êtes intervenus une fois de plus. Alors c'est vous qui allez me renseigner. Comme vous l'avez appris, je ne badine pas : si vous vous taisez, vous ne parlerez plus jamais. Il y a là, six genoux d'homme en cercle. A chacune des questions que vous laisserez sans réponse, j'en ferai éclater un. Vous, l'écharpe rouge qui paraissez être le chef, puisque vous n'êtes pas armé, vous allez inaugurer la série. D'accord?

Il ne me répond rien.

Alors j'appuie le canon d'un de mes outils contre son genou gauche.

— Attention! Ça c'est déjà une question. Je répète : d'accord?

Il ne moufte toujours pas. De la sueur perle à son front et sur les ailes de son vilain nez.

Je presse la détente de mon arme, en ayant pris soin (je te le confie mais répète-z'y pas) de la placer obliquement, de manière à ce que la balle ne saccage que la chair pendouillant au-dessous de la rotule. A travers le futal, on n'y verra que du bleu.

L'impact de la balle fait hurler le gros chauve. Ses deux comparses jouent une sévillane avec leurs damiers.

— Deux genoux explosés, c'est dur à récupérer, affirmé-je. Maintenant êtes-vous d'accord pour répondre à mes questions ?

Les deux mains enserrant son genou blessé, il acquiesce.

— A quoi bon s'obstiner quand on sait que la douleur sera la plus forte ? dis-je. Il ne s'agit pas d'une question de courage, mais d'une réaction animale. L'homme n'est pas fait pour être torturé.

Je saisis le dossier d'un fauteuil hébergeant le plus insignifiant des sbires.

— A vous ! Lui, on va le laisser récupérer un peu. Dans quel pays sommes-nous, ici ?

— Roumania, bredouille le gars avec un accent d'Europe centrale à découper au chalumeau.

Je siffle.

— Belle randonnée ! Où, exactement ?

— Craiova.

Les Français ont de grosses carences en géographie, c'est connu. Cependant, comme j'ai passé des heures de mon adolescence devant des planisphères et autres mappemondes, je crois me rappeler que le patelin en question se trouve entre la frontière hongroise et Bucarest.

— Et on fait quoi dans les ateliers qui sont au-dessous de nous ?

Le gars regarde le gros qui continue de comprimer sa

blessure. Du trou fait dans son grimpant s'échappe un sang sombre.

J'applique le canon de ma pétoire sur le genou de l'Incolore.

— Réponse immédiate, sinon je tire.

Il supplie :

— Oh non ! Ici on ajuste des armes.

— Quelle sorte d'armes ?

— Ogives.

— Nucléaires ?

— Oui.

— Elles viennent d'où, ces armes ?

— Je ne sais pas.

Je presse plus fort le museau de l'ami Tu-tues sur son maigrichon genou.

— Parole ! Je ne sais pas ! glapit le petit vilain.

— Et où vont-elles ?

— Moyen-Orient.

— Irak ?

— En particulier.

— Trafic important ?

— Je crois.

— Pourquoi êtes-vous tous après cette vieille femme ? Que vient-elle faire dans cette aventure ?

— Je vous jure que je n'en sais rien, je ne l'avais jamais vue avant aujourd'hui.

Il paraît désespéré car il craint que je ne le croie pas et imagine déjà sa rotule émiettée.

— Eh bien, si tu n'en sais rien, ce bon gros chauve va me renseigner !

Et de revenir à l'homme blessé.

— Vous avez entendu ma dernière question, cher unijambiste ? Pourquoi harcelez-vous la baronne Van Trickhül ?

Je ne sais pas si c'est d'entendre son blase, mais la

malheureuse femme tombe lourdement de son fauteuil, comme terrassée par une attaque. Elle gît face contre terre, le corps secoué de spasmes nerveux.

Jéjé qui l'a à la chouette depuis qu'il lui torche le fion, se précipite pour la relever. La baronne est inanimée, le regard ouvert, semblant complètement défuntée.

— Morte ? m'inquiété-je.

— Son cœur bat toujours, annonce le *very black*, il cogne même fort et vite !

Et soudain, comme il achève ces mots, une détonation sèche se produit et mon revolver tombe de ma main ensanglantée.

C'est nouveau, ça ! Qui vient de défourailler sur moi ? Stupéfait, je regarde le troisième homme qui ne s'est pas encore manifesté. Il est toujours immobile sur son siège, les mains sagement posées sur ses genoux en péril.

Alors je vois.

Et ce que je vois est tellement ahurissant, tellement *too much*,tellement suprême, qu'une seconde je doute de la réalité de mes sens, de ma vie même !

Tu sais qui vient de tirer ?

Tu donnes ta langue chargée ? Oui ? Pouah ! La baronne, fiston ! Tu me reçois cinq sur cinq ? Oui, mon grand : la mère Van Trickhül en personne.

Elle a secoué le soufflant de Jérémie tandis qu'il lui portait secours et m'a praliné de première. Boulot de pro. La balle m'a tranché la viande entre le pouce et l'indesque (Béru dixit), pourvu qu'un tendon n'ait pas morflé.

La gonzesse belgium appuie maintenant son arme de rencontre sur le bide du négus.

— Calmos, les deux héros ! dit-elle d'une voix qu'on ne lui connaissait pas (d'ailleurs je ne l'ai pratiquement pas entendue parler).

Elle récupère le second pistolet de M. Blanc et le glisse entre ses grosses miches et l'accoudoir du siège.

— Jetez votre autre pétoire, directeur de mon cul! Vite, avant que je pratique une laparatomie à votre con de nègre! Et jetez-la loin. Voilà, merci! Ce qu'ils finissaient par me pomper l'air, ces deux glandeurs! Notez qu'ils ont eu du bon, à Szentendre!

« Et vous, les trois lavasses, qu'est-ce que vous attendez? Ma photo? Comme mazettes, on ne trouve pas mieux! Prêts à livrer sa propre mère dès qu'on leur fait les gros yeux! Ne restez pas affalés dans vos fauteuils, bordel! Je ne sais pas ce qui me retient de vous en coller une entre les prunelles à chacun! »

— Je suis blessé! gémit l'écharpe rouge.

— Pas assez! rétorque la virago. Vous, les deux valides, allez creuser un trou à deux places pour ces flics de merde. J'aurais voulu les laisser en vie parce que j'ai pour règle de ne jamais buter un poulet, mais la situation a trop dégénéré. Avec ce qu'ils savent maintenant, ils ne sont plus bons qu'à faire des morts. Grouillez-vous! On a encore du pain sur la planche!

Dociles, les deux suaves s'esbignent.

— Chapeau, baronne! fais-je après leur décarrade. Pour un coup de théâtre, c'est un coup de théâtre! L'un des plus beaux de ma carrière.

— Savourez : ce sera le dernier!

— Je pige des tas de trucs, maintenant.

— Bravo!

— La fille blonde, dans la cabane de chantier, elle ne s'est pas suicidée, c'est vous qui lui avez écrasé une capsule de cyanure dans le bec?

— Comme qui dirait.

— Après quoi vous avez téléphoné à vos gredins pour les informer de ce qu'il se passait et leur donner notre position; c'est pour cela qu'ils ont si vite retrouvé notre trace?

— Eh bien, je vois que vos méninges ne fonctionnent pas trop mal, San-Antonio.

— Il y avait deux bandes sur le coup, poursuis-je-t-il ; une qui vous veut du mal et une autre que vous contrôlez parce que c'est la vôtre !

— Passionnant ! ricane la sale vieille morue.

Incroyable, cette brusque mutation qui vient de transformer la respectable dadame de la jet-set belge en Ma Garson des séries noires d'avant-guerre. Elle est bathouze, la baronne, Yvonne ! Vieille virago de bar louche, oui ! Que tu devines mal embouchée et cruelle, menant à la baguette une armée de malfrats. Elle tient pas du tout son feu comme un face-à-main, espère ! Elle a la crosse bien en pogne et son index ne frémit pas sur l'ergot de la détente !

— Vous avez arnaqué une équipe de bandits pour que ça soit la Guerre des Deux roses entre vous ? insisté-je.

— Les affaires sont dures, elle me répond.

Tu parles d'un calme ! D'un monstre aplomb ! Il en faut une dose fumante pour faire sous soi, pour donner à croire qu'on est gâteux !

— Les « autres » vous kidnappent pour vous rançonner ? insisté-je.

— Je ne vais pas me mettre à vous raconter ma vie, monsieur le directeur, vous n'avez plus suffisamment de temps à vivre pour l'entendre.

— Me permettez-vous de vous dire que je trouve cette mise à mort inélégante et beaucoup moins sécurisante pour vous que vous ne le croyez ? Je suis désormais terriblement impliqué dans votre affaire : ma disparition va mettre toutes les polices de France et d'Europe en émoi. Je peux vous garantir que, lentement, un filet sera tressé, qui vous emprisonnera.

— Je compte disparaître bien avant, San-Antonio. Il est temps pour moi de raccrocher, tout est prêt pour que je me fonde dans la nature, et de belle manière ! On me croira morte après ces cruels démêlés, tuée et enterrée quelque part. L'oubli fera vite son œuvre.

— Quelqu'un saura que vous vivez, après ce que vous venez de déclarer.

Je désigne le chauve à l'écharpe rouge.

— Pensez-vous ! dit-elle.

De sa main libre, sans cesser de braquer le bide de Jérémie, elle prend le deuxième pétard et se met à en vider le chargeur dans la poitrine du type. Six bastos, presque à bout portant. Il tressaute à chaque impact, se recroqueville comme s'il avait froid, et meurt entre les bras incompatissants du fauteuil.

— Quel sang-froid! laissé-je tomber, impressionné par le calme de cette houri. Ainsi, vous faites dans les armes de guerre, madame Van Trickhül?

— Je fais dans tout ce qui rapporte du blé, mon pote! J'en ai ramassé des paquets gros comac. Mon empire s'étend au monde entier. Pas une femme n'aura engrangé autant que moi : je vends des armes, du cul, de la came, des œuvres d'art. Je vends même de la mort, parfois!

— Puisque nous allons passer à la casserole, ma belle, racontez-nous un peu l'histoire de ce voyage en Orient-Express. Vous devez bien ça à deux flics qui vous ont sauvé la mise, avant de les zinguer!

— Je ne vous dois rien du tout, mes glandeurs, mais je sais être généreuse, parfois. C'est au cours de ce voyage que j'avais décidé de disparaître. Pour étayer le fait que je me trouvais en danger, j'ai demandé la protection du chef de la police belge, lequel a manigancé ce système de protection avec vous. Il fallait qu'un témoin officiel puisse témoigner à propos de mon rapt. Où je l'ai eu saumâtre, c'est lorsque vous avez décidé de me faire remplacer par une grosse pouffiasse transformée en baronne Van Trickhül. Heureusement que cette dondon est fastoche à manœuvrer. Elle raffole de la bite et il m'a suffi de la faire séduire par un casanova professionnel déguisé en médecin pour qu'elle oublie sa « mission » et se casse avec lui! Votre manigance à la gomme arrangeait mes bidons; plus il y aurait de fumaga dans l'aventure, mieux ça se passerait.

— Génial, ma chérie! Génial. Je dois vous avouer qu'une fois déclenché je ne m'arrête plus. Des idées me viennent, en trombe, façon chasse d'eau. Si je vous disais par exemple que je nourris une pensée plutôt sangrenue, concernant le beau Cédric Demongear votre talentueux amant.

— Vraiment?

— N'est-ce pas vous qui l'auriez fait mettre à mort?

Un éclair surpris traverse son regard de vieille salope.

— Comment ça vous est venu, poulet?

— Le pif, ma bonne mère! Au moment où vous faites le ménage, il est normal que vous liquidiez vos faiblesses. Sans doute qu'au plus fort de votre passion, vous lui avez confié trop de secrets.

Elle a un vilain sourire qui révèle son absence d'âme.

— C'est bien vu, mon flic! Très bien vu.

— Par contre, je pige mal que vous l'ayez fait torturer avant liquidation totale.

— Oh! ça, ce n'était pas par sadisme, mais pour lui faire restituer une chose très importante pour moi que je lui avais confiée.

— Je peux savoir quoi?

Elle secoue la tête.

— *Nein, Herr Direktor*; secret professionnel!

— Et il vous a restitué la « chose » en question?

Elle se rembrunit.

— Celui qui s'est occupé de lui m'assure qu'il ne l'avait pas, sinon il aurait parlé car il a passé un très sale moment.

— L'ayant vu mort, je ne puis que confirmer ces dires, baronne. Dites-moi : vous êtes réellement baronne?

— Ayant épousé un baron, je le suis.

— Au fait, je n'ai jamais entendu mentionner votre époux dans ce bigntz.

— Canné depuis vingt piges, mon chou!

— De sa belle mort?

— Si on peut appeler une « belle » mort le fait de tomber d'une falaise de deux cents mètres sur des rochers, au Mexique.

— Quelqu'un lui a fait rater la marche?

— Devinez.

— Vous?

— Pas si bête! Pourquoi faire soi-même ce qu'on peut faire faire par autrui contre une liasse de dollars?

— Vous veniez d'où, Lécocadia, avant d'épouser ce feu baron?

— De Nice.

— Vie orageuse?

— Sur laquelle j'ai tiré un trait. Il faut changer radicalement d'existence tous les vingt-cinq ans. Je m'apprête à le faire pour la seconde fois.

Ce qui sous-entendrait qu'elle a cinquante balais, la mère; elle oublie les mois de nourrice et les années de guerre! Ce ne serait pas tous les trente piges qu'elle opère sa mue, la dabuche?

— Et ça va être comment, la troisième époque, baronne? Le côté Matrone des Sleepinges, *Négresco, Waldorf Astoria*?

— Non, tout cela je viens de le vivre, ça ne m'épate plus.

— Alors?

— Pour commencer je vais me faire refaire la gueule de la cave au grenier; et puis, avec le monstre blé que j'ai engrangé, j'irai dans les pays déshérités fonder des dispensaires pour les gosses en péril, les petits scrofuleux, les squelettes vivants qu'on nous montre parfois à la télé et qui font si peur que les gens zappent dare-dare!

Là, ma stupeur atteint le paroxysme du paroxysme. Elle me chambre ou quoi, la vieille ? Pourtant son air grave n'a pas l'air bidon.

Elle murmure d'une voix mélanco :

— J'ai jamais pu avoir de gosse, alors je vais finir ma vie avec ceux des autres. Tu sais, flic, d'être truande n'empêche pas les bons sentiments. Surtout ne me parle pas de rachat, j'en pisserais dans mon froc ! Je ne regrette rien et même tu vois, quand les deux têtes de nœud auront fini leur trou, c'est ma pomme qui te cloquerai une bastos dans le pariétal.

— Merci, soupiré-je, c'est gentil à vous. Mais ça me fait penser à l'histoire du baron qui, se baignant en mer, est attaqué par un requin. Il tire son couteau de sa ceinture pour se défendre, alors le requin dit, d'un air dégoûté : « Un baron ! Du poisson, avec un couteau ? »

Elle rigole.

— Je ne la connaissais pas !

— Je pourrais vous en raconter de meilleures pendant des nuits entières !

— Les oublie pas ; si on se retrouve là-haut un jour...

— Et alors donc, la bande rivale, elle veut quoi de vous ?

— Elle veut ce qu'on m'a dérobé, mon petit béguin ; et comme je ne suis pas en mesure de le lui remettre, c'est la guerre. Mais comment diantre fais-tu pour conserver ta fraîcheur à quelques minutes du trépas ? Tu sais que tu es un phénomène, mec ! Une curiosité pareille, au moment de calancher, chapeau ! Tu restes pro jusqu'à l'ultime seconde !

A cet instant (que j'espérais) Jérémie qui joue « Une aussi longue absence » tente son va-tout en se ruant sur la baronne.

Oh ! le gâchis (Parmentier) !

A nerfs d'acier, nerfs d'airain ! Elle sent tellement les

choses, cette gorgone, qu'elle les prévoit. Pile à l'instant de son plongeon, elle lui tire dessus. Jérémie, mon incomparable, lance un cri de douleur et choit au sol où il se tord en comprimant son bas-ventre.

— Bougre de vieille peau ! grondé-je. Ils sont beaux vos principes humanistes !

— Que ne s'est-il tenu tranquille ? objecte-t-elle avec implacabilité.

Sur ce, les deux fossoyeurs reviennent, suants et anxieux. Ils découvrent leur chef naze, Blanc hors d'usage, et croient comprendre qu'il y a eu échange de balles entre eux.

— Descendez déjà celui-là ! ordonne Mamie Meurtre en désignant Blanc.

— Il n'est pas mort ! objecte l'un des péones.

— Eh bien, ça lui fera découvrir ce qu'on peut éprouver quand on est enterré vivant ! Il n'avait qu'à ne pas me feinter ! Faites !

Lors, les dociles coquins se saisissent de mon malheureux Noirpiot, lequel hurle comme un damné de frais. D'après ce que je vois, la balle ne lui a pas traversé le bide, mais le haut de la cuisse et je crois bien qu'elle lui a fait craquer le fémur.

Un désir insensé de tout stopper s'empare de moi. Mais je comprends que si je tente quelque chose à mon tour, cette coriace chienne me plombera dans la fraction de seconde.

Alors quoi ? QUOI ? QUOUAH ? Ô Seigneur de toutes les miséricordes, inspire-moi et sauve-nous !

Les borniol's brothers s'engagent déjà dans l'escadrin avec leur charge hurlante.

— Stooooop ! que je hurle.

Tellement fort qu'ils se pétrifient.

Je le jure sur la mémoire de papa, à cet instant encore j'ignore ce que je vais faire ou dire. C'est le vide dans ma tronche. Et puis, croisant le regard mécontent de la baronne, mes cellules grises s'illuminent, l'inspiration jaillit.

Et tu sais ce qui me sort de la clape?

— Le truc qu'on vous a volé et qui fout la merde dans votre industrie, la mère : c'est moi qui l'ai!

Une lueur rusée, incrédule aussi, passe dans ses prunelles.

Elle ricane :

— C'est tout ce que vous avez trouvé, poulet?

— N'est-ce pas suffisant?

— Décrivez-le-moi!

Et le gars mézigue, aussi sec, sans la lâcher des falots :

— Plaquette métallique percée de neuf trous, rangée dans un étui de cuir rouge un peu comme un peigne de poche.

Elle est à moi! Rien que sa manière de déglutir, comme une oie qu'on gave. Elle assimile la situation, puis, de son ton décontracte :

— En ce cas, mon gars, il va falloir me le rendre.

— O.K.! Seulement, y a comme un défaut, ma poule.

Je bâille à bouche-que-veux-tu.

— Vous savez, Poupette, que je déteste voyager dans un coffre de bagnole, fût-ce celui d'une Mercedes 500 SEL.

— Arrête de faire le zigoto, flic de merde, et rends-moi ma clé.

— Ah! parce que c'est une clé?

— Ne m'oblige pas aux grands moyens pour te faire cracher où elle se trouve! Pour commencer, je peux découper ton nègre en tout petits morceaux et poivrer les plaies ou fur et à mesure; je peux vitrioler ta jolie gueule; je peux...

— D'accord, fais-je, vous pouvez m'infliger tout ça et pire encore, mais il y a une chose que vous ne pourrez pas faire, la vieille, c'est d'aller reprendre votre truc à la noix dans l'un des coffres de sûreté du ministère de l'Intérieur à Paris, où il se trouve présentement, vu que, personnellement, je n'ai pas la moindre idée du coffre dont il s'agit !

Un long silence tombe à brûle-pourpoint.

MARDI

CRAIOVA, 15 H 08

Pendant des secondes interminables, on n'entend que les cris de mon pauvre Jérémie dont la douleur ne se calme pas. Sa souffrance me rend fou. Une flaque de sang s'élargit sous lui. Je me dis que si on ne lui porte pas secours très vite, il va se vider, le bon négro.

Enfin, la vieille salope parle. Elle répète, ou à peu près, ce qu'elle affirmait naguère avec une force de conviction peu commune :

– Il va bien pourtant falloir que je la récupère! Comment as-tu pu la remettre aux autorités françaises, petit con?

– Je l'ai eue à Salzbourg et l'ai postée de Vienne, alexandré-je. Vienne où est mort l'Aiglon, ma bonne dame; le cher Roi de Rome, si romantique.

– Qui me le prouve?

– Ma parole; vous n'avez qu'elle à vous mettre sous le dentier, vieille chérie. Vous pensez bien que je n'allais pas conserver par-devers moi cette chose pour laquelle on s'entre-tuait!

– Tu ignorais ce dont il s'agissait, connard!

– J'ignorais sa fonction, mais j'en devinais l'importance!

Elle hésite brièvement puis, probablement à court d'arguments me jette :

— Ta peau contre cette putain de clé !

Je négative du chef :

— Non, ma grande : nos deux peaux à Vendredi et à moi !

— Je crois que la sienne ne vaut plus grand-chose !

— Justement : il faut faire vite ! On commence par l'embarquer à l'hosto ! Et je l'accompagne pour être sûr que ce n'est pas une arnaquerie ! Ensuite, on reprendra le débat.

Elle se lève avec peine.

— T'es louf, Ducon. Tu crois que je vais te laisser vadrouiller comme ça ?

— Il va bien falloir, comme tu le dis tout le temps. Mais, parole de directeur, je ne tenterai rien.

Elle pouffe.

— Non, tu ne tenteras rien car j'ai une idée exquise.

Elle prend à part un des fossoyeurs (provisoirement en arrêt de travail) ; ce dernier s'esbigne peu de temps et revient en portant deux grenades de fabrication roumaine.

— Tends ta main ouverte ! enjoint la baronne. Je vais te montrer qu'une bonne femme comme moi a davantage de couilles que toute une compagnie de légionnaires ; et pourtant ce sont des mecs qui n'ont pas froid aux châsses !

Elle dégoupille la grenade et me la met en pogne.

— Serre-la fort, flic, sinon il se passera des choses pas propres. Là, voilà, comme ça. Maintenant tu mets ta main dans ta fouille ; doucement ! Bravo. Regarde : avec cette grosse épingle de nourrice je fixe ta manche à ton pantalon. Après quoi, on agit de même avec ta main et ta poche gauches. Ça y est ! Mais attends : c'est pas fini, Baby.

Elle sort une boîte plate de son giron.

— Capsule de cyanure ! Regarde, je l'enveloppe de

mastic de dentiste et la fixe sous ta lèvre supérieure. Impossible de la recracher ! Par contre, je te flanque une baffe et t'es mort avant de toucher le sol. Équipé comme te voilà, je suis prête à t'emmener au bout du monde, mon bon con. O.K., on emporte ton esclave. Version officielle : la balle du pistolet qu'il portait à la ceinture est partie malencontreusement. Il est flic, il a droit à un permis de port d'arme. Reste qu'il se trouve en sol étranger, mais baste, la Roumanie est un pays où je connais du monde !

Position précaire, que la mienne.

Mes mains crispées sur les grenades se tétanisent à force de presser leur cuillère de retenue. Ce qui me donne l'énergie nécessaire pour tenir bon, c'est la perspective que mes joyeuses se trouvent en première ligne. L'accident, et ton beau Sana, madame, se retrouve avec le gouffre de Padirac à la place de son matériel d'animation.

On roule par des rues ultra-moroses, presque désertes. On passe devant des magasins vides et des queues d'acheteurs misérables pareils à des alignées de mannequins.

Les mecs ont débarqué « nos » victimes et allongé Jérémie sur la banquette arrière, sa tête sur mes genoux.

Les deux zozos, ainsi que la baronne, sont entassés à l'avant.

Ma main blessée par la balle de Léocadia se fait brûlante ; je ne la sens pratiquement plus. Fasse le ciel que je tienne encore le coup !

On ne tarde pas à arriver dans un établissement jaunâtre, pisseux, aux fenêtres inrepeintes depuis cent ans, où l'on doit pratiquer une médecine carolingienne, bien antérieure, de toute façon, à la venue d'Ambroise Paré. Des infirmiers en savates de toile déballent mon vieux frelot et le drivent aux urgences.

Je les suis à pas comptés, soucieux de ne pas être heurté et de continuer à presser les foutus contacteurs. Sans parler de la capsule que je garde en bouche! Position horrible, à laquelle je rêverai longtemps si j'en réchappe.

Lorsqu'un toubib est entré dans le bloc, derrière Jérémie, et que nous rebroussons chemin, la vieille me dit :

— J'ai tenu parole, San-Antonio, à vous maintenant de me proposer un plan de restitution de la plaquette qui soit cohérent et me donne toutes les garanties de sécurité.

— Vous croyez que j'ai le cœur à bavarder? grogné-je. Ma main *blessée par vos soins*, si j'ose dire, est devenue insensible et votre putain de grenade risque à tout instant de m'arracher le bas-ventre!

Elle ne se formalise pas.

— Tenez bon jusqu'à ce que nous soyons de retour à l'atelier, fait-elle.

Vaille que vaille, je tiens; mais comme le chemin du retour me semble long! Cette fois, j'ai perdu le bel optimisme qui agaçait M. Blanc. La vie me paraît puante et mal rasée. Je me dis que cette baronne est un monstre, une criminelle aux foucades dangereuses, capable peut-être du meilleur, mais surtout du pire.

En arrière-plan de ma gamberge, il y a aussi la fameuse clé à neuf trous. Si tu me lis avec un minimum d'attention, tu dois te souvenir que je l'ai glissée sous la doublure de ma valoche, après y avoir pratiqué une encoche. Elle se trouve où, cette valise dont j'ai si grand besoin, car mes harnais commencent à ne plus en pouvoir de pas être renouvelés. Depuis quarante-huit heures que je n'ai pas changé de linge de corps, je fais trimardeur et je dois incommoder l'assistance!

Alors bon : ma valdingue...

Pas d'erreur, elle est restée dans ma chambre du *Hilton*, à Budapest.

Qu'en est-il advenu? Est-elle en souffrance à la consigne du merveilleux hôtel? Ou bien, ce qui semble plus probable, la police l'a-t-elle embarquée après l'assassinat de l'exquise petite Chinoise? De toute manière, ça ne va pas être du mille-feuille à la frangipane pour la récupérer!

Une pensée accablante succédant à une idée sombre, nous regagnons notre base.

— Tiens! Qu'est-ce que c'est que ça? murmure in petto (ou presque) la baronne en apercevant devant la maison une automobile qui ne s'y trouvait pas lors de notre départ.

Le véhicule est une Audi blanche immatriculée en Hongrie.

Quand notre propre tire stoppe sur le parking, un homme et une femme sortent de la bagnole immaculée pour s'approcher de nous. Comme ce remarquable ouvrage, au sujet duquel j'ai décliné le Prix Goncourt, est follement riche en surprises, coups de théâtre ou de Trafalgar, péripéties en tout genre, ce couple m'est connu. Il s'agit ni plus ni moins que du papa et de la maman de Gwendoline et de Dorothy.

— Hello, Léo! lance le mec à la baronne.

— Hello, Duck! répond cette dernière.

Une totale harmonie paraît régner entre ces braves gens.

— Ce type ne vous donne pas trop de fil à retordre? demande, en tordant ses lèvres minces, la méprisante mère de la chère ravissante qui a mis l'émoi dans mon cœur et mon calbute et à laquelle je pense tendrissimo *very much*.

Léocadia a un sourire de triomphe.

— Il ne manquerait plus que ça, ma chère Vera ! J'en ai dorcé de plus redoutables. Mais je suppose que si vous êtes ici c'est pour m'annoncer une bonne nouvelle, mes amis ?

— Une nouvelle extra ! répond Duck en sortant de sa fouille, tu sais quoi ?

Je ne te le donne pas en mille, je préfère le laisser entier : la clé à neuf trous dans sa pochette de cuir bordeaux !

Le sol se déshabille sous moi[1].

Mémère se jette dessus comme un morpion perdu sur un pubis de clochard. S'en saisit ! L'embrasse frénétiquement comme le capitaine de l'équipe de foot gagnante embrasse la Coupe du Monde.

Puis elle se tourne vers moi :

— Il était dans un coffre du ministère de l'Intérieur, hein, mon con ?

Rien à objecter : je mérite ce qualificatif.

Elle reprend :

— Sache, poulet de merde, que Tatie Léocadia envisage toujours *toutes* les solutions possibles. Bien avant de t'amener ici, j'avais chargé mes collaborateurs de procéder à des investigations dans ta chambre et tes effets.

« Ça été dur ? » leur demande-t-elle.

— Pour récupérer sa valise, plutôt, oui. Il a fallu que nous allions à la police en déclarant qu'il nous avait volé cette clé et en en donnant une description précise. A force de prétendre qu'elle nous était indispensable et après avoir signé force documents, ils ont consenti à nous la rendre.

— Comment l'avait-il obtenue ? demande la vioque.

1. Dans son émotion et la fatigue aidant, San-A. veut dire qu'il se dérobe.

Le dénommé Duck fait la moue.

— La prochaine fois que vous nous enverrez des jeunes filles à former, assurez-vous de leur pedigree, Léocadia. Cette saleté de Gwendoline vous a trahie pour les beaux yeux de ce gigolo à la manque !

— Je lui aurais donné le bon Dieu sans confession ! soupire la baronne.

— Heureusement que l'autre fille, la moche, l'avait à l'œil, dit la femme de Duck.

La mère Van Trickhül s'empare du bras de son complice britiche.

— Otez-moi d'un doute, Duck, vous avez puni cette salope comme elle le méritait, j'espère ?

Il sourit.

— Elle est entortillée d'un grillage avec le double de son poids ; bientôt, les brochets du lac Balaton seront gros comme ça !

Il montre en écartant les mains.

— Bravo ! La justice est indispensable, mon bon. J'ai toujours eu un grand souci d'équité : récompensant le bien et punissant le mal. Venez assister à l'exécution de ce flic de merde. Français à grande gueule, mais trop brouillon pour arriver à quelque chose. Sa fosse est prête. Elle est à deux places, on ne chipote pas sur son confort. Nos camarades ici présents vont se munir de mitraillettes car il va falloir le tirer à distance, vu qu'il est lesté d'explosifs !

Je suis traîné, poussé, tiré, au bord d'une large et profonde excavation derrière la maison. Ils sont au point en tant que terrassiers, les deux guignolos de la baronne !

Le groupe s'éloigne à vingt mètres de là : les deux bonnes femmes et les trois mecs.

Je vois deux fortes arquebuses dirigées contre ma pomme.

Une lumineuse pensée me vient pour ma Félicie qui n'entendra plus jamais parler de moi.

Une grande bouffée de désir de vivre aussi. Elle est si forte que, dans un effort surhumain, j'arrache l'étoffe de mon bénard en tirant dessus, balance les deux grenades sur la réunion de famille qui me fait face et me laisse tomber en arrière dans la fosse.

En avant ce serait trop risqué, because la capsule collée sur mes incisives.

Tu comprends?

JEUDI

PARIS, 11 H 04

Je souffre des reins, m'étant démis je ne sais quoi en exécutant cette cabriole arrière dans « ma » tombe. N'en n'outre je porte un gros pansement à la main droite car la blessure par balle s'est infectée et j'ai des lancées jusqu'à l'épaule. Pauvre viande, si bravache et si faible ! Pauvre homme, rouleur de mécaniques et si avide d'honneurs qui transforme pourtant en merde les nourritures les plus raffinées.

Je dois faire un peu de température malgré les antibiotiques qu'on m'a prodigués car mes tempes battent anormalement. Tiens, à partir de tout à l'heure, je vais m'offrir un week-end prolongé. Non : je ne partirai pas, mais resterai chez moi, seul avec m'man, Toinet se trouvant à une classe de neige dans l'Alpe homicide. Je vais mettre pour la première fois cette somptueuse veste d'intérieur Hermès que Félicie m'a offerte pour mon anniv. Pantoufles ! Pas de rasoir ! Le bigophone aux Japonais absents. Des *books* (j'en ai une pile en souffrance sur ma table de chevalet, comme dit Béru) ; de la télé si je parviens à sélectionner des émissions pas trop glandues sur mon *Télé 7 jours*.

Pour le reste, la Féloche avisera : gratin de cardons, tête de veau, blanquette, oiseaux-sans-tronche ! Tiens, au fait, c'est le veau, ma viande d'élection : mœurs bourgeoises, l'Antonio. J'écouterai notre vieille horloge dauphinoise égrener les heures, et puis je regarderai se goinfrer les petits piafs à qui m'man propose des assiettées de graines et de pain trempé dans du lait.

Est-ce que je pourrai attendre la semaine prochaine sans baiser? Boff! Je tirerai la bonne, samedi matin, pendant que ma vieille sera au marka. Un bon petit coup en levrette, contre la paillasse de l'évier, ça met la montre de ton kangourou à l'heure!

Chouette programme, non?

— Vous semblez très éprouvé par cette équipée insensée? remarque Nicolas Buton-Debraghette, mon homolo belge qui est accouru à ma demande.

Le bouquet? Il est en compagnie de sa grande fille.

— Elle a absolument voulu m'accompagner à Paris, m'a-t-il déclaré. Vous savez la fascination que votre chère capitale exerce sur les femmes de tous les pays?

J'ai souri. La môme était en train de promener la pointe de sa langue entre ses lèvres pendant que son dabe parlait. Mais c'est marrant : j'en ai pas envie; les petites salopes trop salopes, ça va une fois, mais pas davantage.

Je lui ai tout narré par le menu à mon homo (logue, hein? confonds pas!). L'hécatombe l'a impressionné, tout flic à chevrons qu'il soit! Mais où il a été scié à la tronçonneuse, c'est quand il a appris ce qu'était sa fameuse baronne. La plus grande aventurière de l'après-guerre, ni plus ni moins. Une tueuse cynique! Formidable marchande d'armes, tenant dans sa main les représentants d'insurgés de tout bord et de tous les continents, qu'elle approvisionnait en armes sophistiquées. Pour mener à bien ce formidable trafic, Mamie Meurtre disposait d'un gigantesque dépôt clandestin situé en Roumanie; elle avait négocié cette installation avec feu Ceausescu comme partenaire. Le dépôt avait été aménagé dans une carrière troglodytique de la chaîne des Carpates, fermée par un portail en iridium ballotté à serrure thermo-capuchonnée double. Les charges d'explosifs les plus puissantes n'auraient pu en venir à bout. Pour pénétrer dans cette caverne d'Ali Baba de l'armement, il n'existait que deux clés. L'une se trouvait en possession du dictateur rouge, l'autre en celle de la baronne.

La rapide (et brutale) exécution des Ceausescu paniqua la mère Léocadia qui résolut de récupérer coûte que coûte la clé du défunt tyran. Entreprise qui paraissait insurmontable.

Elle mit sur pied une véritable armée secrète pour parvenir à ses fins et on alla jusqu'à déterrer clandestinement le bonhomme pour tenter de mettre la main sur ce trésor inestimable. Il convenait d'agir rapidement et avec un max de discrétion. L'obstination de l'aventurière porta ses fruits puisque, en fin de compte, c'est dans la gaine criblée de balles de la Ceausescu qu'on parvint à dénicher « la chose ».

C'est alors que le destin de la mère Van Trickhül commença à prendre de la gîte. Ses hommes de main, flairant la superbe affaire, résolurent de la faire chanter et lui réclamèrent le pactole en échange de la deuxième clé (laquelle, je te le précise pendant qu'il en est encore temps, sinon ensuite t'es cap d'écrire à mon éditeur que je suis un zozo ! laquelle clé, reprends-je, est impossible à reproduire car, même en disposant du métal qui la constitue, ce dernier ne saurait être compatible avec celui de la serrure originelle, lequel fut traité au carboniseur déontologique dépravé, tu mords l'astuce Tiburce ?).

Cette fois, la vieille finaude organisa une seconde croisade pour reprendre la fameuse clé à ceux qui l'avaient trouvée ! D'où l'affrontement sanglant des deux bandes. La seconde, comme la première, parvint à ses fins et remit la *chiave* à Léocadia. L'affaire, loin d'en rester là, prit une ampleur démesurée (tu as pu en juger) et ce fut une guerre sans merci, comme on dit à Saint-Alban-de-Roche qui est tout proche de Bourgoin-Jallieu. Mémère résolut de se faire protéger par la police, d'où, indirectement, mon intervention dans l'affaire. Intervention qui allait tout changer ! Bravo, San-Antonio ; une fois encore, tu t'es montré unique en ton genre ! tu demeures le premier, sois tranquille !

Mémère prenait l'Orient-Express avec l'intention de gagner la Roumanie en empruntant le chemin des écoliers. Elle avait l'une des deux clés sur elle, mais elle prit peur quand elle identifia dans son wagon, des gens qui lui parurent inquiétants. Alors, à mon nez et à ma barbe, elle confia l'objet au cher Cédric (le soir au wagon-bar), lequel aurait mieux fait de rester devant son chevalet au lieu de partir avec sa grosse (corne) muse pour une équipée sans retour.

Il se laissa subtiliser la clé, le niais. Et sais-tu par qui, Denis ? Par la petite Gwendoline qui avait décidé de jouer seule sa partie de baccara. Cette gosseline fut probablement dépistée par sa fausse frangine et, aux abois, glissa la chose compromettante dans ma fouille pendant que je l'embrassais. T'as bien suivi la trajectoire, Édouard ? Tu veux de l'Aspirine ? Non ? T'es sûr ?

Tu penses qu'a Budapest, quand la baronne a voulu faire récupérer la fameuse clé, Cédric était incapable non seulement de la rendre, mais de dire ce qu'elle était devenue, d'où sa triste fin.

— Fatigué, hé ? me demande Buton-Debraghette.
— Ça a été infernal, réponds-je.
— Comment va votre adjoint ?
— Jérémie Blanc ? M. le président de la République

l'a fait ramener ce matin par avion sanitaire, son beau-père qui est sorcier et le professeur Ballepot sont à son chevet.

Mon confrère regarde sa fille avec inquiétude, craignant que ma raison ne roule sur la jante.

— Espérons, fait-il. Et la baronne?

— Quand je l'ai quittée, après mon plongeon dans la tranchée, elle avait une jambe presque sectionnée et une plaie pas très belle au visage.

— Vous pensez qu'elle s'en sortira?

— Comment le saurais-je? De plus, je m'en fous.

— Ses complices?

— Passablement en charpie, mais certains vivaient encore.

— Vous ne vous êtes pas occupé d'eux? s'étonne le chosefrère avec de la réprobation plein la voix.

Je rejette ma tête en arrière et soupire :

— Écoutez, Nicolas. Quand pendant deux heures vous tenez dans le creux de vos mains deux grenades dégoupillées pour les empêcher d'exploser et qu'en prime vous avez une capsule de cyanure collée à la gencive, vous n'avez pas envie de faire le ménage ni de changer l'eau du canari avant de partir. Moi, ces pourris, j'en ai rien à branler. J'ai pu m'en tirer à force d'énergie et de présence d'esprit et je m'en félicite. Une fois ces coquins neutralisés, j'ai sauté dans l'une des deux tires et foncé jusqu'au consulat de France de Bucarest.

— Bien sûr, bien sûr! se hâte mon homo.

Sa fille lui chuchote qu'elle n'aurait jamais pu avoir un père plus con que lui et il en convient tristement.

— Et le... la...? attaque-t-il.

— Oui?

— La clé?

— Avant de me tirer, je l'ai reprise à la baronne, naturellement et, en arrivant à Paname, j'ai couru la porter au président.

— Le président de... ?

— Lui-même.

— Vous le voyez beaucoup?

— Pas plus qu'il n'est nécessaire, cher Nicolas. Mais c'est un homme astucieux, ses ennemis eux-mêmes l'admettent, il saura exploiter ce gadget.

Ma porte s'ouvre à la volée et Béru surgit, écarlate, suivi de notre ami Pourrinet avec sa polka.

— Mais voui! Mais voui! glapit Alexandre-Benoît, bien c'qu' j'croivais : M'sieur l'dirluche est là, qui s' royaume, pendant qu'on s'esquintait l'ogne av'c les z'Hongrois pour s'en arracher. En v'là un qu'sa tronche enfle comme une noutre d'puis qu'il a l'fion dans c'fauteuil! Du temps qu'il était commissaire, jamais y n'm'eusse laissé macérerer dans un caca pareil, sans s'l'ment lever l'petit doigt!

A mon tour d'aboyer :

— Et pourquoi crois-tu qu'ils t'ont relâché, les z'Hongrois, dis, grand con? A cause de ta culture et de ta grosse queue? Il a fallu l'intervention du président en personne pour qu'on vous élargisse!

La fille Buton-Debraghette s'approche de moi et me chuchote :

— C'est vrai qu'il l'a si grosse que ça, ou bien vous plaisantez?

— Il ne l'a pas grosse, il l'a énorme! réponds-je. Sa bite est incontournable, ma chérie. On n'a pas le droit de venir à Paris sans visiter ce monument!

Elle me remercie d'un gentil battement de cils.

FIN

Achevé d'imprimer en avril 1993
sur les presses de l'Imprimerie Bussière
à Saint-Amand (Cher)

— N° d'imp. : 970. —
Dépôt légal : mai 1993.

Imprimé en France